Ple

Plentyn y Stryd

gan

Berlie Doherty

Trosiad gan Dafydd Morse

DREF WEN

Cyhoeddwyd gyntaf yn Saesneg gan Hamish Hamilton yn 2003.
Cyhoeddwyd gyntaf gan HarperCollins *Children's Books*
adran o HarperCollins *Publishers* Cyf.
77-85 Fulham Palace Road, Hammersmith, Llundain W6 8JB
dan y teitl *Streetchild* yn 1995.

Noddwyd gan Lywodraeth Cynulliad Cymru.

Cyhoeddwyd yn Gymraeg yn 2009
gan Wasg y Dref Wen,
28 Ffordd yr Eglwys, Yr Eglwys Newydd,
Caerdydd CF14 2EA, Ffôn 029 20617860.

Argraffwyd ym Mhrydain.

Cynnwys

1 Pastai swllt	*11*
2 Dyn y ffon	*15*
3 Rosie a Judd	*20*
4 Y wyrcws	*28*
5 Yn y carchar	*35*
6 Tip	*40*
7 Y peth gwyllt	*46*
8 Y glanhawyr carpedi	*50*
9 Y crafwr esgidiau	*55*
10 Betsi Gloff	*59*
11 Y frân ddu hyll	*67*
12 Cochyn	*73*
13 Y Lili	85
14 Tafarn y Morwr	*92*
15 Ifan	*97*
16 Bachgen mewn poen	*103*
17 Yr anghenfil yn crio	*109*
18 Mi allet ti lwyddo	*112*
19 Dianc	*117*
20 Y garafán werdd	*119*
21 Bachgen y syrcas	*123*
22 Ar ffo eto	*125*
23 Cochyn eto	*128*
24 Chwilio am ddoctor	*132*
25 Yr Ysgol Garpiog	*137*
26 Hwyl i ti, frawd	*140*
27 Barnie	*143*
Diwedd y stori	*149*

I Hilda Cotterill

Gyda diolch i blant dosbarth Lynne Healy yn Ysgol Iau Dobcroft fu'n help i mi gyda'u cyngor a'u brwdfrydedd, ac i Priscilla Hodgson, Deborah Walters, Mie Higginbottom, Llyfrgell Barnardo, Tŷ Dickens, Amgueddfa Gychod Ellesmere Port a Llyfrgelloedd Sheffield – roedden nhw i gyd yn fodlon rhannu gwybodaeth a chynorthwyo.

Adrodd dy stori, Jim

Jim Jarvis. Odych chi eisiau gwybod pwy yw hwnnw? Fi yw e! Dyna fy enw i. Dyna'r unig beth sy gen i, fy enw. A dwi wedi'i roi e i'r dyn 'ma. Barnie, neu rywbeth fel 'na, yw ei enw fe. Mi ddwedodd e wrtha i unwaith, ac fe anghofiais i, a dwi ddim yn hoffi gofyn iddo fe eto, chi'n gweld. 'Mistar' dwi'n ei alw fe, i'w wyneb. Ond mae 'na rywle bach yng nghefn fy mhen i sy'n ei alw e'n Barnie.

Mae e wastad yn gofyn pethau i mi. Mae e eisiau gwybod fy hanes i, dyna mae e'n ei ddweud wrtha i. Fy hanes i, Mistar? Pam y'ch chi eisiau gwybod hwnnw? Dyw hi ddim yn llawer o stori, fy stori i. Ac mae e'n syllu arna i, yn hollol dawel.

'Ydy, ma hi, Jim,' mae e'n dweud. 'Mae hi'n stori arbennig iawn. Fe newidiodd e fy mywyd i, fachgen, cwrdd â thi.'

Dyna i chi ryfedd, ontefe? Achos fe newidiodd Barnie fy mywyd innau hefyd.

Alla i ddim credu fy lwc, ac mae hynny'n ffaith. Dyma fi, fy mola'n llawn bwyd, a bwyd cynnes, da ar hynny, ac mae e'n dweud bod digon o hwnnw ar gael i mi. Dwi'n gwisgo dillad sy'n arogli'n braf, heb unrhyw dyllau ynddyn nhw chwaith. A dwi yn yr ystafell hon lle mae 'na dân mawr yn llosgi, a digon o goed tân i'w gadw'n fyw. Dim ond fi a fe sy 'ma. Mae'r bechgyn eraill yn glyd yn eu gwelyau yn yr ystafell fawr ry'n ni'n cysgu ynddi. A dim ond fi a fe sy lawr llawr – sbesial.

Dwi eisiau chwerthin. Dwi mor llawn o ryw deimlad rhyfedd dwi eisiau chwerthin yn uchel, a dwi'n gwthio fy llaw i fy ngheg i stopio fy hunan.

Mae Barnie yn edrych arna i, yn dawel reit. 'Adrodd dy stori wrtha i.'

Fy stori! Wel. Dwi'n cripian nôl at y tân ac yn tynnu fy mhengliniau at ei gilydd yn dynn. Dwi'n cau fy llygaid er mwyn peidio gweld y ffordd mae'r fflamau'n dawnsio ac yn taflu fy nghysgod ar y waliau. Dwi'n anwybyddu sŵn y tân, sŵn fel ci yn synhwyro wrth dwll llygoden. A dwi'n credu 'mod i'n gallu clywed llais rhywun yn siarad, yn ysgafn iawn. Llais menyw yw e, yn siarad gyda phlentyn. Dwi'n meddwl ei bod hi'n siarad gyda mi.

'Mistar,' dywedaf, gan sibrwd er mwyn peidio â cholli'r llais. 'Ga i ddweud wrthoch chi am Mam?'

1

Pastai swllt

Neidiai Jim Jarvis o un droed i'r llall ar ochr yr hewl, ei draed yn las gan oerfel. Taflai'r cerbydau eira lleidiog i'w wyneb a'i lygaid wrth iddyn nhw basio, a llithrai'r ceffylau wrth iddyn nhw gael eu chwipio 'mlaen gan eu gyrwyr. O'r diwedd, gwelodd Jim ei gyfle a rhuthrodd trwy'r traffig. Roedd siopau bychain y stryd dywyll yn felyn llachar dan eu lampau, a rhedodd Jim o un golau i'r llall nes iddo gyrraedd at y siop roedd e'n edrych amdani. Siop y bastai gig oedd hi. Safai bechgyn llwglyd a chŵn esgyrnog gerllaw'r drws, yn gobeithio am dameidiau o gig. Gwthiodd Jim heibio iddyn nhw, ei geiniog yn boeth fel darn cynnes o lo yn ei ddwrn. Gallai glywed ei stumog yn grwgnach wrth i arogl seimllyd y grefi gyrraedd i'w ffroenau.

Roedd Mrs Hodder wrthi'n ceisio brwsio'r llawr gwlyb a thaenu gwair newydd drosto pan redodd Jim i mewn.

'Ac fe gei di redeg yn syth nôl mas,' gwaeddodd arno. 'Dwi wedi cael digon ar fechgyn bach heddi!'

'Ond dwi wedi dod i brynu pastai!' meddai Jim wrthi. Dawnsiai yn ei unfan, gan agor a chau ei ddwrn fel bod y geiniog yn wincio ar Mrs Hodder fel llygad.

Estynnodd hithau'r geiniog o'i law a'i brathu. 'Ble cest ti hon, y broga bach?' gofynnodd iddo. 'A rho'r gorau i dy ddawnsio! Rwyt ti'n gwneud i mi siglo fel cwch ar y môr!'

Llamodd Jim ar ddarn o wair sych. 'O bwrs Mam. Ac fe ddwedodd hi na fydden i'n gallu cael rhagor, achos dyna'r swllt ola sy 'da ni, a dwi'n gwybod bod hynny'n wir achos fi wagiodd y pwrs. Felly gwnewch hi'n bastai dda, Mrs Hodder. Un fawr, gyda digon o refi ynddi!'

Rhedodd adre gyda'r bastai'n dynn wrth ei frest, a'i gwres yn ei dwymo trwy'r cadach oedd wedi'i lapio o amgylch y bastai. Ceisiodd un neu ddau o'r bechgyn y tu allan i'r siop redeg ar ei ôl, ond llwyddodd Jim i'w colli yn y strydoedd tywyll, er bod ei galon yn curo fel gordd rhag ofn iddyn nhw ei ddal a dwyn y bastai.

O'r diwedd cyrhaeddodd ei gartref, tŷ oedd mor llawn o deuluoedd nes bod Jim yn rhyfeddu nad oedd y waliau a'r lloriau'n cwympo dan y pwysau a'r holl sŵn oedd i mewn yno. Rhedodd i fyny'r grisiau a tharanu i mewn i'r ystafell lle roedd ei deulu'n byw. Roedd e'n anadlu'n drwm gyda'r holl gyffro a balchder.

'Fe gefais i'r bastai! Fe gefais i'r bastai!' canodd yn uchel.

'Sssh!' Roedd ei chwaer, Emily, yn penlinio ar lawr, a throdd ato'n gas. 'Ma Mam yn cysgu, Jim.'

Neidiodd Lizzie ar ei thraed a rhedeg ato, gan dynnu Jim draw at y tân fel y gallent agor y cadach oedd wedi'i lapio am y bastai ar yr aelwyd. Torron nhw ddarn bob un o'r crwstyn a'u trochi yn y grefi trwchus.

'Beth am Mam?' gofynnodd Lizzie.

'Fydd hi ddim eisiau dim,' meddai Emily. 'Dyw hi byth yn bwyta.'

Tynnodd Lizzie law Jim yn ôl wrth iddo estyn am ddarn arall. 'Ond falle byddai'r grefi'n gwneud daioni iddi,' awgrymodd. 'Dim ond blas bach. Paid â'i dowlu fe lawr mor gyflym, Jim. Cadwa damaid bach i Mam.'

Trodd at bentwr blancedi ei mam a chodi'r gorchudd carpiog oddi arni.

'Mam,' sibrydodd. 'Dere – cymera damed bach o hwn. Mae e'n hyfryd!'

Cododd ddarn o grwstyn y bastai at ei gwefusau, ond ysgwyd ei phen wnaeth ei mam a throi ei chefn, gan dynnu'r garthen yn dynn o'i chwmpas.

'Gymera i fe!' meddai Jim, ond gosododd Lizzie'r darn ar gornel dillad gwely ei mam.

'Falle y bydd hi awydd ei fwyta fe'n nes ymlaen,' meddai. 'Falle y gwnaiff yr arogl ei themtio.'

'Ddwedes i wrthot ti,' meddai Emily. 'Dyw hi ddim eisiau bwyd rhagor. Dyna beth ddwedodd hi.'

Oedodd Jim am eiliad wrth fwyta, â'i law yn amddiffyn ei damaid bwyd rhag ofn i'w chwiorydd ei ddwyn oddi arno. 'Beth sy'n bod ar Mam?' gofynnodd.

''Sdim byd yn bod,' atebodd Emily. Taflodd ddarn o bren ar y tân a gwylio'r fflamau'n cyrlio amdano.

'Wedi blino ma hi, dyna i gyd,' meddai Lizzie'n gefnogol. 'Eisiau cysgu ma hi, ontefe?'

'Ond ma hi wedi cysgu drwy'r dydd,' meddai Jim. 'A thrwy'r dydd ddoe. Ac echdoe.'

'Dere. Bwyta dy bastai,' meddai Emily. 'Glywest ti beth ddwedodd hi. 'Sdim mwy o sylltau yn y pwrs 'na, felly fydd dim pastai arall ar ôl hon.'

'Bydd Mam yn well cyn bo hir,' meddai Lizzie, 'a bydd hi'n gallu dechre gweithio eto. Ma digon o waith ar gyfer cogyddion. Byddwn ni mas o fan hyn wedyn. 'Na beth ddwedodd hi wrtha i, Jim.'

'Fyddwn ni'n mynd nôl i'r bwthyn wedyn?' holodd Jim.

Ysgydwodd Lizzie ei phen. 'Rwyt ti'n gwybod na allwn ni fynd nôl yno, Jim. Roedd yn rhaid i ni adael pan fu Dad farw.'

'Bwytewch eich pastai,' meddai Emily. 'Mae hi eisiau i ni ei mwynhau.'

Ond roedd y bastai wedi oeri cyn i'r plant ei gorffen. Fe dynnon nhw'r pentwr carpiog o'u cwmpas wrth y lle tân a chlosio at ei gilydd, gyda Jim rhwng Emily a Lizzie. Roedden nhw'n gallu clywed pobl yn mwmian ym mhob ystafell yn y tŷ, yn dylyfu gên a chrafu. Allan ar y stryd roedd cŵn yn udo, a chrensiai olwynion y cerbydau trwy'r eirlaw ar yr hewlydd.

Gorweddai Jim yn effro. Gallai glywed anadl ei fam yn crafu yn ei gwddf, ac roedd e'n gwybod o'r ffordd roedd hi'n troi a throsi nad oedd hi'n cysgu. Gorweddai ei chwiorydd yn stiff bob ochr iddo, a gwyddai nad oedden nhw'n cysgu chwaith, dim ond yn gorwedd yno, yn gwrando ar synau'r nos, ac yn dyheu am y bore.

2

Dyn y ffon

Mae'n rhaid fod pawb wedi cysgu'n hwyr neu'n hwyrach. Y peth nesaf glywodd Jim oedd sŵn traed trwm yn dringo'r grisiau a rhywun yn defnyddio ffon i gnocio ar y llawr tu fas i ddrws y stafell.

'Dyn y ffon!' sibrydodd Emily.

Cyn i'r plant godi ar eu heistedd taflwyd y drws ar agor a cherddodd perchennog y tŷ i mewn, gan stampio'r eira oddi ar ei esgidiau mawr. Chwipiodd ei glogyn oddi ar ei gefn, gan daflu plu eira o gwmpas y stafell, a phoerodd y glo crasboeth yn ffyrnig wrth iddo ysgwyd y clogyn uwchben y lle tân.

'Fe gnocies i,' cyfarthodd Mr Spink. 'Ond pan fydd plant diog yn gwrthod ateb, yna mae'n rhaid eu dihuno.'

Neidiodd Lizzie ac Emily ar eu traed ar unwaith. Mi fyddai Jim wedi cropian o dan y dillad gwely ond tynnodd ei chwiorydd ef ar ei draed rhyngddyn nhw. Safodd y plant mewn llinell druenus o flaen eu mam.

Gwthiodd Mr Spink linynnau gwlyb ei wallt melyn tu ôl i'w glustiau a syllu dros eu pennau arni. Roedd yn pwffian fel megin wynt.

'Ydy hi wedi marw?'

'Nagyw, syr, dyw hi ddim wedi marw,' atebodd Emily, ei llais yn llawn ofn.

'Ydy hi'n sâl 'te?'

‘Nagyw, syr, dyw hi ddim yn sâl chwaith,’ meddai Emily.

Edrychodd Jim arni mewn syndod. Gallai weld fod ei fam yn sâl iawn, ac wedi bod felly ers dyddiau.

‘Felly, os nad yw hi wedi marw ac os nad yw hi’n sâl, beth mae hi’n ei wneud i lawr yn fyn’na, yn gorwedd o dan y dillad fel rhyw lêdi ddiog? Odi hi’n cwato? Neu wrthi’n cyfri ei harian mae hi efallai?’ Gwthiodd Mr Spink heibio i’r plant a chodi’r pentwr carpiau gyda’i ffon.

Roedd llygaid eu mam ar gau, er bod ei hamrannau’n crynu ychydig. Yng ngolau’r dydd gallai Jim weld mor welw oedd hi. Chwiliodd am law Lizzie.

‘Gadewch hi fod, syr. Mae hi wedi blino’n lân, mae hi wedi bod yn gweithio mor ofnadwy o galed,’ meddai Emily. ‘A bydd hi’n mynd mas i weithio eto cyn hir.’

O’r cryndod yn ei llais, gallai Jim synhwyro pa mor ofnus oedd ei chwaer, a pha mor ddewr oedd angen iddi fod i siarad gyda Mr Spink fel ’ny.

‘Wel, os yw hi wedi bod yn gweithio, fe fydd hi’n gallu talu’r rhent felly, ac fe fyddwn ni i gyd yn hapus. Ar eich traed, fenyw!’ Cododd y carpiau oddi arni’n llwyr gyda blaen arian ei ffon.

Plygodd Lizzie a cheisio helpu ei mam i eistedd.

‘Ble mae’ch arian chi, Mrs Jarvis?’ Gwthiodd Mr Spink ei ffon o dan ei fraich a sefyll gyda’i ddwylo yn ei bocedi, gan ysgwyd y newid mân oedd yno nes bod y darnau’n swnio fel clychau bychain, fel pe baent yn fiwsig peraidd i’w glustiau. Gwelodd y pwrs ar y llawr a syllu arno. Plygodd ymlaen at Jim, a chamodd hwnnw’n ôl oddi wrth anadlu gwichlyd y dyn.

‘Hen ddyn ydw i, hen ddyn sy’n methu plygu. Coda’r

pwrs 'na i fi, fachgen.'

Plygodd Jim ac estyn y pwrs. Daliodd ef o hyd braich i Mr Spink, ond dim ond rholio'i lygaid arno wnaeth Mr Spink.

'Odi e'n wag, fachgen? Yn wag?' gofynnodd, fel pe bai'n methu credu'r peth. Gwelodd gadach y bastai ar yr aelwyd, gyda briwsion y crwstyn ac olion y grefi arno. Camodd yn ôl, fel pe bai'r olygfa wedi'i synnu, a syllodd ar y plant i gyd yn eu tro.

'Gawsoch chi bastai i'w bwyta neithiwr?'

Roedd y merched yn ddistaw.

'Do fe, fachgen?'

'Do,' sibrydodd Jim.

'O'dd hi'n bastai gig hyfryd, yn gynnes ac yn llawn grefi?'

'Sai'n gwbod.' Roedd Jim yn teimlo fel pe bai darn o'r crwstyn wedi glynu yn ei wddf, yn gwrthod cael ei lyncu. Edrychodd ar Emily, oedd â'i gwefusau wedi'u gwasgu'n dynn at ei gilydd, yna edrychodd draw at Lizzie, oedd yn eistedd nawr â'i phen wedi'i blygu fel bod ei gwallt yn gorchuddio'i hwyneb. Edrychodd ar ei fam, oedd yn dawel a gwelw.

'Fi brynodd hi,' bloeddiodd. 'Swllt ola mam oedd e, ond fe brynais i'r bastai.'

Clywodd Emily'n ochneidio wrth ei ymyl.

Nodiodd Mr Spink.

'Dim arian.' Nodiodd eto, ac am eiliad meddyliodd Jim ei fod wedi gwneud y peth iawn trwy gyfaddef fod y bastai wedi costio swllt olaf ei fam. Estynnodd Mr Spink ei law chwyslyd a chymryd y pwrs oddi ar Jim. Gwthiodd ei fysedd iddo fel pe bai'n byped, a gollyngodd ef i'r llawr a'i brocio gyda'i ffon. Yna tynnodd ei hances sidan o'i boced, sychu ei wallt a'i wyneb gyda hi ac yna chwythu ei drwyn.

'O diar,' meddai. Chwythodd ei drwyn yn hir ac yn galed. Edrychodd Jim yn gyflym draw at Emily ond doedd hi ddim am edrych arno yntau. 'Dim arian, dim rhent.' Chwythodd Mr Spink ei drwyn eto. 'Dim rhent, dim ystafell, Mrs Jarvis.'

''Sdim unman arall 'da ni i fynd,' meddai mam Jim, mewn llais mor dawel fel y bu'n rhaid i Mr Spink roi'r gorau i chwythu ei drwyn a phlygu tuag ati i wrando.

'Mam,' meddai Jim. 'Allwn ni ddim mynd nôl i'r bwthyn? Ro'n i'n ei hoffi fe'n well yn fyn'na.'

Chwarddodd Mr Spink yn uchel, ac am eiliad eto meddyliodd Jim ei fod e wedi dweud y peth iawn.

'Eich bwthyn! Pan ddaethoch chi ata i ar eich gliniau flwyddyn yn ôl, roeddech chi'n ddigon balch o gael y lle 'ma, credwch chi fi. Ond os oes gwell gennych chi fwthyn, yna byddai'n syniad i chi ddod o hyd i dad newydd, a gadael iddo fe dalu am un. Allwch chi wneud 'ny?'

Ysgydwodd Jim ei ben. Llyncodd yn galed.

'Ry'n ni'n ddigon hapus yn fan hyn,' meddai mam Jim. 'Gadewch i ni gael ychydig mwy o amser, ac fe dalwn ni'r rhent. Gall y merched fy helpu i.'

Chwifiodd Mr Spink ei hances eto a'i gwthio i'w boced.

'Dwi wedi penderfynu, Mrs Jarvis. Mae 'na deulu sydd eisiau symud i mewn yma heno. Mae 'na wyth ohonyn nhw – maen nhw'n haeddu cartref hefyd, on'd ydyn? Ac fe allen nhw dalu amdano fe!'

Taflodd ei glogyn tamp yn ôl dros ei ysgwyddau a brasgamu allan o'r ystafell, a gwrandawodd y plant mewn distawrwydd ar sŵn ei ffon yn tap-tap-tapio ar y llawr y tu fas i'r ystafell drws nesaf. Gwyliodd Jim mewn arswyd oer wrth i'w chwiorydd symud yn araf o gwmpas yr ystafell yn casglu eu heiddo. Doedd dim dodrefn ganddyn nhw, er iddi ymddangos bod tipyn ganddyn nhw wrth iddyn nhw lenwi'r gert y diwrnod y gadawon nhw'r bwthyn. Ond roedd popeth wedi'i werthu, fesul darn, a'r pethau diwerth wedi'u defnyddio fel coed tân.

'Dos i mo'yn dy geffyl, Jim,' meddai Emily, gan bwyntio at y ceffyl pren roedd ei dad wedi'i gerfio iddo ddau Nadolig yn ôl. 'Ac estynna sgidie Lizzie hefyd. Man a man i ti eu cael nhw. Maen nhw'n rhy fach i Lizzie nawr.'

Cododd e nhw. Roedd yr esgidiau'n rhy fawr iddo eu gwisgo eto, ond plygodd ei freichiau drostyn nhw a rhoi'r ceffyl pren rhyngddynt. Safodd y plant wrth y drws yn cario'u pecynnau wrth i Mrs Jarvis glymu ei het a gosod ei siôl dros ei hysgwyddau. Symudai yn araf a thawel, fel pe bai ei holl bryderon wedi'u claddu tu mewn iddi a'i bod yn ofni eu gadael yn rhydd. O'r diwedd roedd hi'n barod. Edrychodd o amgylch yr ystafell foel. Roedd yr eira wedi peidio, ac roedd golau'r haul yn pefrio'n ddyfrllyd trwy'r ffenest.

'Mam ...' meddai Emily.

Edrychodd Mrs Jarvis ar ei merch. Roedd hi'n welw ac yn bryderus. 'Dwi'n dod,' meddai.

'Ond i ble awn ni?'

'Fe ddof i o hyd i gartref i ni yn rhywle,' atebodd ei mam. 'Paid â becso.'

3

Rosie a Judd

Defnyddiodd Mrs Jarvis lawer o'r ychydig egni oedd ganddi ar ôl y bore hwnnw. Arweiniodd y plant allan o'r slymiau ble roedden nhw wedi byw am y flwyddyn ddiwethaf ac ar hyd stryd ar ôl stryd nes cyrraedd ardal dawelach o'r dref, lle roedd y tai yn fawr ac yn urddasol. Pwysodd yn erbyn ffens reiliau i orffwys ac eisteddodd Emily wrth ei hochr, yn gofidio am ei mam.

'Nawr, mae'n rhaid i chi fod yn blant da,' meddai Mrs Jarvis wrthyn nhw. 'Dwi'n mynd i fynd â chi i'r tŷ lle ro'n i'n arfer gweithio, ond bydd yn rhaid i chi fihafio. Odych chi'n addo?'

'Mam! Wrth gwrs y byddwn ni'n dda,' meddai Emily.

Nodiodd Mrs Jarvis. 'Byddwch. Ry'ch chi bob amser yn dda,' meddai. 'Dyna i chi un peth y gwnes i'n iawn, beth bynnag.'

Yn y ffenest y tu ôl iddyn nhw canai llinos mewn caets cyfyng. Dim ond ychydig o le oedd ganddi i symud, rhwng llawr y caets a darn o bren, a dyna lle roedd yr aderyn yn neidio rhwng y naill le a'r llall, lan a lawr, lan a lawr.

'Gwrandwch ar yr aderyn 'na,' meddai Jim.

'Dim ond pan fyddan nhw'n unig mae adar yn canu,' meddai Emily. 'Mae hi'n canu eisiau ffrind.'

'Druan â hi,' meddai Lizzie. 'Wedi'i chloi mewn caets.'

‘Mae’n well i ni gario ’mlân,’ meddai eu mam. ‘Dwi’n mynd â chi i weld yr unig ffrind sy gen i yn yr holl fyd. Rosie, dyna’i henw hi. Ry’ch chi wedi ’nghlywed i’n siarad am Rosie yn y tŷ mawr?’

Nodiodd y plant. Roedd tipyn o amser wedi pasio ers i’w mam weithio yng nghegin y Meistr, ond roedd hi’n dal i adrodd storïau i’r plant am ei phrofiadau yno.

‘Ac os na all Rosie ein helpu ni,’ ochneidiodd, ‘yna does neb all wneud.’ Helpodd Emily hi i godi ar ei thraed eto a symudodd y teulu yn eu blaen yn araf, gan aros am ennyd wrth i’r cerbydau wibio heibio iddyn nhw.

Pan gyrhaeddon nhw’r tŷ mawr o’r diwedd, roedd Mrs Jarvis wedi blino’n lân, ac eisteddodd ar risiau’r tŷ i orffwys eto. Syllodd y plant ar y tŷ tal.

‘Fan hyn ry’n ni’n mynd i fyw?’ gofynnodd Lizzie.

‘Mae e’n rhy grand o lawer i ni, Lizzie!’ atebodd Emily. Er mai dim ond deg oed oedd hi, roedd hi’n gwybod nad oedd teuluoedd fel eu teulu nhw yn byw mewn tai fel hyn.

Syllai Jim yn galed ar rywbeth ar ben y grisiau, wrth y drws mawr. Crafwr esgidiau haearn oedd yno, ar ffurf pen ci. Roedd ceg enfawr y ci ar agor, fel y gallai pobl grafu’r mwd oddi ar eu hesgidiau ar ei ddannedd. ‘Fydden i byth yn rhoi fy nhraed i yn fyn’na,’ meddai Jim. ‘Ddim hyd yn oed petawn i’n gwisgo sgidiau Lizzie! Mi fydde fe’n cnoi bodiau fy nhraed i ffwrdd yn llwyr!’

Ar ôl i’w mam orffwys, cododd ei phecyn unwaith eto ac arwain y plant i lawr rhyw risiau at seler y tŷ. Pwysodd yn drwm yn erbyn y drws, a’i hegni’n diflannu’n gyflym.

‘Byddwch yn blant da,’ mwmialodd wrthyn nhw, yna cnociodd.

Clywsant sŵn traed yn rhuthro at y drws. Plygodd Mrs Jarvis a chusanu’r ddwy ferch ar eu pennau.

‘Bendith Duw ar y ddwy ohonoch,’ meddai.

Edrychodd Emily arni’n ofnus. Roedd hi ar fin gofyn i’w mam beth oedd yn digwydd pan agorwyd y drws gan fenyw fawr mewn ffedog wen a blawd drosti. Roedd llewys ei ffrog wedi’u rholio i fyny a’i breichiau’n chwyddo allan ohonyn nhw. Roedd toes dros ei dwylo a’i harddyrnau ac wrth iddi daflu ei breichiau i fyny i’w cyfarch, gallai Jim weld bod ei phenelinoedd yn goch.

‘Annie Jarvis!’ ochneidiodd y fenyw. ‘Do’n i ddim yn disgwyl dy weld di eto!’ Cofleidiodd hi, gan daenu darnau o does drosti ym mhobman. ‘Dwyt ti ddim yma i chwilio am waith, wyt ti? Ar ôl yr holl amser ’ma? Ma Judd bron â mynd o’i cho yn chwilio am gogydd newydd, ydi wir. Fi sy’n gorfod gwneud y gwaith am nawr, a ma fy nhoes i fel carreg – gallet ti ddefnyddio fe i adeiladu eglwys gadeiriol! Fe wnaiff hi fy anfon i nôl lan stâr i weini cyn bo hir, gei di weld!’

Wrth iddi siarad tynnodd hi Mrs Jarvis a’r plant i mewn i’r gegin a gosod stolion iddyn nhw o gwmpas y tân, yna eisteddodd hithau ar stôl uchel a chasglu mwy o flawd drosti. Gwthiodd y badell gymysgu i’r naill ochr ac eistedd gyda’i phenelinoedd ar y ford yn gwenu fel gât arnyn nhw, ac yna newidiodd ei gwên. Pwysodd tuag at Mrs Jarvis a theimlo ei thalcen.

‘Nefoedd!’ Roedd ei llais yn llawn consýrn. ‘Rwyt ti mor boeth, Annie, ac yn wyn fel y galchen.’ Edrychodd ar y plant, ac ar y pecynnau dillad ac eiddo roedden nhw'n eu cario o hyd. 'Ry'ch chi wedi cael eich taflu mas, on'd do?'

Nodiodd Mrs Jarvis.

'Oes rhywle 'da chi i fynd?'

'Nacoes.'

'A dwyt ti ddim mewn unrhyw gyflwr i weithio. Rwyt ti'n gwybod 'ny? 'Sdim gwaith ar ôl ynot ti, Annie Jarvis.'

Canodd cloch uwchben y drws, a neidiodd Rosie a rhedeg draw at y ffwrn.

'O, Dduw mawr, mae e'n galw am y coffi, a dwi ddim wedi'i baratoi e eto. Os daw rhywun lawr i'r gegin, cwatwch chi o dan y bwrdd yn glou, iawn?' meddai wrth y plant. Canodd y gloch unwaith eto.

'Olreit, olreit,' gwaeddodd. 'Odi'r Meistr yn gallu aros am bum munud, tra 'mod i'n cael sgwrs gyda fy ffrind?'

Edrychodd draw at Mrs Jarvis unwaith eto, ei hwyneb yn crychu. 'Ma hi cystal â chwaer i mi. Na, dyw e ddim yn gallu aros. Dyw'r Meistr byth yn aros.'

Wrth iddi siarad roedd hi'n arllwys coffi a llaeth i lestri ac yn eu gosod ar hambwrdd. Rhwbiodd ei dwylo blawdiog yn ei ffedog, yna ei thynnu a gwisgo un lân. Yn sydyn, tywalltodd ychydig o goffi i gwpan a'i wthio draw at Mrs Jarvis.

'Cer 'mlân,' anogodd. 'Cymra fe, am yr holl fara da wnest ti'i bobi iddo fe.' Rhedodd at y drws gyda'r hambwrdd yn siglo yn ei llaw ac aros i dynnu ystumiau ar y gloch wrth iddi ganu unwaith eto. ''Sdim ond un cartre ar gael i ti nawr, Annie fach. A'r wyrcws yw hwnnw, Duw a dy helpo di. Y wyrcws!'

Cyn gynted ag y gadawodd Rosie yr ystafell,

sleifiodd Jim o'i gadair a rhedeg draw at ei fam. Roedd hithau'n sipian ei choffi, gan ddal y gwpan yn ei dwy law.

'Dy'n ni ddim yn mynd i'r wyrcws, ydyn ni, Mam?' gofynnodd Emily.

Roedd y plant wedi clywed storïau ofnadwy am y wyrcws. Siaradai hen bobl gydag ofn a chasineb am y lle, fel petai'n waeth nag unrhyw uffern ar y ddaear. Roedden nhw wedi clywed bod rhaid i rai pobl aros yno am weddill eu hoes. Roedd pobl yn marw yno. Roedd yn well gan bobl gysgu ar y strydoedd ac yn y caeau na mynd i'r wyrcws. Eisteddai'r ddwy ferch mewn arswyd y naill ochr a'r llall i'w mam.

'Rho help i Rosie gyda'i bara, Emily,' awgrymodd Mrs Jarvis, ei llais yn gryfach nawr. 'Mi fydd hi'n falch o'r cymorth, fel y bydd y Meistr hefyd!'

Gwnaeth Emily fel y gorchmynnodd ei mam. Golchodd ei dwylo yn y jẁg dŵr wrth ochr y bwrdd ac yna arllwysodd ychydig o'r burum byrlymog i'r bowlen flawd. Ychydig funudau wedyn daeth Rosie yn ei hôl. Rhoddodd ei bys wrth ei gwefus a phwyntio i fyny'r grisiau.

'Dwi 'di gofyn i Judd ddod lawr!' meddai.

Clywsant sisial sgert hir ar y grisiau, a chyrhaeddodd yr howscipar y gegin, yn fenyw brysur a phendant. Ceisiodd Jim lithro o dan y bwrdd ond roedd blaen main ei hesgid yn ei rwystro.

Cerddodd yn syth at Mrs Jarvis a sefyll yn syth o'i blaen, gan edrych i lawr arni.

'Ma Rosie'n dweud wrtha i 'ch bod chi mewn tipyn o stad, Annie Jarvis,' meddai. 'Ac mae'n rhaid i mi gyfaddef, ry'ch chi'n edrych fel'ny hefyd.'

'Dwi ddim wedi dod yma i achosi trafferth, Judd,' meddai Mrs Jarvis. 'Ac mae'n flin 'da fi os ydw i wedi amharu ar y gwaith. Dim ond galw i ddweud ffarwél wrthoch chi a Rosie wnes i, am i chi fod mor garedig wrtha i yn y gorffennol.'

'Mi fuon ni'n garedig wrthoch chi am eich bod yn gwneud eich gwaith yn dda, a dyna sy'n cyfri,' sniffiodd Judd. Gwyliodd dros ysgwydd Emily wrth i'r ferch daflu'r toes ar y bwrdd a gwthio'i dwrn i mewn iddo. Swatiai Rosie y tu ôl iddi, ei dwylo'n plethu ynghyd a'i hwyneb yn bryderus. Ymddangosai fel pe bai Emily wrthi'n cyflawni rhyw fath o wyrth wrth i'r tair menyw ei gwylio'n dawel.

'Chi'n gallu coginio, odych chi?' gofynnodd Judd i Emily o'r diwedd.

'Mae hi'n gallu coginio cystal â mi,' meddai mam Jim. 'A sgrwbio lloriau a rhedeg ar negeseuon. Fe fyddai hi'n gallu cysgu ar lawr y gegin, a fyddai hi ddim trafferth.'

'Fyddai dim angen ei thalu hi,' meddai Rosie. 'Mi fyddai hi'n arbed arian, Judd.'

Rholiai Emily'r toes gyda chledr ei llaw, yn ei ymestyn a'i blygu dro ar ôl tro, ond roedd pob gewyn yn ei chorff yn gwrando ar yr hyn roedd y menywod yn ei drafod.

'Ond allwn i ddim gwneud dim gyda'r ferch arall,' meddai Judd.

'Judd, ma gen i chwaer sy'n coginio yn Sunbury. Falle y caiff hi gyfle gyda hi,' awgrymodd Rosie. Roedd hi'n sefyll ar flaenau ei thraed, fel merch fach, ei dwylo wedi'u plethu tu ôl i'w chefn a'i llygaid yn erfyn. 'Petaech chi'n fodlon gadael i Lizzie fach gysgu lawr fan hyn gydag Emily tan ddydd Sul, fe allwn i ei cherdded hi draw at Meri bryd hynny.'

'Dwi ddim eisiau gwybod eu bod nhw yma, Rosie. Os daw'r Meistr i wybod am hyn, yna bydd pob un ohonon ni yn y wyrcws, rydych chi'n sylweddoli hynny, on'd 'ych chi? Dwi ddim yn gwybod eu bod nhw yma, y merched yma, iawn?'

Hwyliodd Judd allan o'r gegin, ei chefn syth a'i cherddediad pendant fel petaent yn datgan yn eglur nad oedd hi wedi gweld y merched yn y gegin. Gwrandawon nhw yn astud ar glician ei hesgidiau yn pellhau ar y grisiau.

'Dyna'r gorau alla i wneud drosot ti, Annie,' meddai Rosie. 'Alla i ddim gwneud mwy.'

'Mae e'n fwy nag o'n i'n ei ddisgwyl,' meddai Mrs Jarvis. 'O leia rwyt ti wedi achub fy merched i rhag y lle 'na.'

Safodd yn sigledig ar ei thraed. 'Mae'n well i ni fynd,' meddai wrth Jim. 'Dyw hi ddim yn deg ar Rosie i ni aros yma'n hirach.'

'Fe adawa i chi'n llonydd, i chi gael ffarwelio,' meddai Rosie. Cyffyrddodd yn gyflym yn ysgwydd ei ffrind a diflannu i'r pantri, ei hwyneb yn llawn emosiwn. Ro'n nhw'n gallu ei chlywed yno, yn gwthio'r llestri a'r potiau o gwmpas fel pe bai'n arwain cerddorfa.

Ddywedodd Emily yr un gair, a hynny am na allai wneud. Roedd ei gwddf yn dynn a phoenus. Edrychodd hi ddim ar ei mam nac ar Jim, dim ond eu cofleidio'n gyflym a mynd i eistedd wrth y bwrdd a rhoi ei phen yn ei dwylo. Ceisiodd Lizzie ddilyn ei hesiampl, ond cyn gynted ag y rhoddodd Mrs Jarvis ei llaw ar y drws oedd yn arwain allan i'r stryd bloeddiodd 'Dos â ni 'da ti, Mam. Paid â'n gadael ni fan hyn!'

'Alla i ddim,' atebodd ei mam. Wnaeth hi ddim troi i edrych arni. 'Bendith arnat ti, alla i ddim. Dyma'r peth gorau i ti, i chi'ch dwy. Bendith Duw ar y ddwy ohonoch chi.'

Gafaelodd yn llaw Jim a'i wthio'n gyflym mas trwy'r drws. Feiddiodd Jim ddim edrych arni. Feiddiodd e ddim gwrando ar y synau roedd hi'n eu gwneud wrth iddyn nhw gamu allan i olau dydd. Cododd ei wyneb i'r awyr a gadael i'r plu eira oeri ei fochau. Doedd ganddo ddim syniad beth fyddai'n digwydd iddo fe na'i fam, ac a fyddai'n gweld Emily neu Lizzie byth eto. Roedd e'n fwy ofnus nawr nag y bu erioed o'r blaen.

4

Y wyrcws

Cerddodd Jim a'i fam am oriau'r diwrnod hwnnw, ond roedden nhw'n symud yn araf iawn. Gorffwysodd y ddau ger cerflun o ddyn ar geffyl, ac ychydig yn ddiweddarach bu'n rhaid aros eto er mwyn i Mrs Jarvis yfed o ffynnon. Ymlaen yr aethant, yn cerdded ac aros, cerdded ac aros, nes i fam Jim fethu mynd dim pellach. Cofleidiodd Jim, a gorffwys ei phen ar ei ysgwydd.

'Duw a'th helpo di, Jim,' meddai.

Ymddangosai i Jim fel pe bai hi wedi blino cerdded a'i bod hi wedi penderfynu mynd i gysgu ar y palmant. Swatiodd wrth ei hymyl, yn falch o gael seibiant, gan ei fod yn teimlo'n benysgafn ei hunan. Roedd yn ymwybodol o leisiau pryderus o'i amgylch, fel pryfed yn suo. Ysgydwodd rhywun ef ac agorodd ei lygaid.

'Ble'r wyt ti'n byw?' holodd rhyw lais.

Eisteddodd Jim i fyny. Roedd hi'n dechrau tywyllu'n barod. Roedd 'na bobl o'i amgylch ac eraill yn penlinio wrth ei fam, yn ceisio'i chodi. 'Ro'n ni'n arfer byw mewn bwthyn,' meddai Jim. 'Ro'dd gennym ni fuwch ac ychydig o ieir.'

'Ble'r wyt ti'n byw nawr?' Llais gwahanol y tro hwn, ychydig yn fwy siarp na'r diwethaf. Ceisiodd Jim gofio enw'r stryd lle roedden nhw wedi rhentu ystafell yn nhŷ mawr Mr Spink, ond methodd. Doedd e ddim yn gallu deall pam na fyddai ei fam yn dihuno. Edrychodd o gwmpas am ei becyn a gweld bod ei geffyl pren wedi diflannu. Cydiodd yn hen sgidiau Lizzie.

‘’Sdim lle ’da ti i fynd?’ gofynnodd yr un llais eto.

Ysgydwodd Jim ei ben. Roedd rhywun yn gwneud rhywbeth i’w fam – edrychent fel pe baent yn rhwbio’i dwylo ac yn sychu ei hwyneb gyda’r siôl. ‘Ewch â nhw i’r wyrcws,’ meddai rhywun. ‘’Sdim byd allwn ni ei wneud drosti hi.’

‘Sa i’n mynd â nhw fyn’na,’ meddai llais arall. ‘Bydde’r carchar yn well na fyn’na. Dwedwch wrthyn nhw ein bod ni wedi dal y bachgen yn dwyn, a gadewch iddyn nhw roi’r ddau ohonyn nhw yn y carchar.’

‘Mae rhywun wedi dwyn fy ngheffyl i,’ clywodd Jim ei hunan yn dweud. Roedd ei lais yn grynedig. ‘Wnes *i* ddim dwyn unrhyw beth.’

‘Rhowch ei geffyl e nôl iddo fe,’ meddai rhywun arall. ‘Dyna i gyd sy ’da fe, ontefe? Pâr o sgidiau sy’n rhy fawr iddo fe, a cheffyl pren. Rhowch e’n ôl.’ Clywodd Jim sŵn chwerthin wrth i haid o blant redeg oddi wrth y grŵp.

Y munud nesaf, daeth gwaedd o ben pella’r stryd, a chododd y bobl fu’n cyrcydu o gwmpas Jim a’i fam a symud i ffwrdd. Clywodd leisiau eraill, edrychodd i fyny a gweld dau blismon. ‘Codwch!’ gorchmynnodd un o’r plismyn. Stryffaglodd Jim ar ei draed. ‘A chithau! Codwch!’ meddai’r llall wrth fam Jim. Gorweddai hithau’n llonydd.

Chwifiodd y plisman cyntaf ei law a rhedodd bachgen â chert draw atyn nhw. Codwyd mam Jim a’i gosod ar y gert. Gwyliodd Jim mewn ofn.

‘Ewch â nhw i’r wyrcws,’ gorchmynnodd y plismon cyntaf. ‘Fe gân nhw farw fyn’na, os o’s raid iddyn nhw.’

Dechreuodd y bachgen redeg wedyn, gan sgrialu ar yr hewlydd llithrig a nyddu trwy'r traffig, a rhedai Jim yn betrus y tu ôl iddo. O'r diwedd, daethant at adeilad anferth gyda rheiliau haearn o'i amgylch. Safai pobl druenus yno, yn ymbil am fwyd. Stopiodd y bachgen a'i gert tu fas i'r gatiau haearn anferth a chanu'r gloch. Gallai Jim glywed y gloch yn atseinio yn y pellter, yng nghrombil yr adeilad. O'r diwedd agorwyd y gatiau gan borthor. Syllai'n gas arnynt, gan ddal golau yn uchel uwch ei ben.

'Dau arall i chi,' meddai'r bachgen. 'Un i'r ysbyty, a'r llall i'r ysgol.' Arweiniodd y porthor hwy i iard. Yno, ar y grisiau'r naill ochr a'r llall i brif fynedfa'r adeilad safai dyn a menyw, y ddau mor syth a thenau a gwelw â phâr o ganhwyllau eglwys, yn syllu i lawr arnynt. Estynnodd y bachgen ei law a rhoddwyd ceiniog iddo, a phlygodd y dyn a'r fenyw i lawr a chodi mam Jim o'r gert a'i chario i'r tŷ. Gadawodd y bachgen a'i gert a chaeodd y porthor y gatiau'n glep ar ei ôl.

'Mewn â thi!' gorchmynnodd y fenyw wrth Jim o'r drws, a'i dynnu ar ei hôl. 'Dere i gael sgrwbad a thorri dy wallt!'

Caeodd y drysau'n rwgnachlyd. Roedden nhw mewn coridor hir, tywyll, wedi'i oleuo gan ganhwyllau'n unig. O'u blaen, cerddai dyn â mam Jim wedi'i thaflu dros ei ysgwydd.

'Ble ma Mam yn mynd?' gofynnodd Jim, ei lais yn atseinio yn erbyn y teils fel sŵn anifail bach ofnus.

'I ble ma hi'n mynd? I'r ysbyty, dyna ble. Ma hi angen bwyd a moddion, siŵr o fod, a dim ceiniog ganddi i dalu amdanyn nhw, debyg.'

'Alla i fynd 'da hi?'

'Mynd gyda hi? Bachgen mawr cryf fel ti? Na chei wir! Ond os wyt ti'n fachgen da, falle y bydd Mr Sissons yn gadael i ti ei gweld hi fory. Bydd rhaid i ti fihafio cofia. Wyt ti'n gwybod beth yw bihafio?' Caeodd y metron ei llaw rewllyd dros ei law yntau a phlygu ato, ei het ddu yn crychu. Roedd ei dannedd mor ddu â'r rheiliau y tu allan i'r adeilad.

Tynnodd Jim ar hyd y coridor ac i mewn i ystafell werdd enfawr, lle'r eisteddai bechgyn yn dawel, yn syllu ar ei gilydd ac ar y waliau moel. Gwyliai'r bechgyn Jim wrth iddo gerdded trwy'r ystafell ac allan i iard arall.

'Joseff!' gwaeddodd y metron, a llusgodd dyn oedd wedi crymu o rywle y tu ôl iddi. Hongiai ei ben rhwng ei ysgwyddau fel rhyw aderyn ysglyfaethus mawr. Helpodd hi i dynnu dillad Jim ac i daflu dŵr rhewllyd o'r pwmp dŵr drosto. Rhoddwyd dillad garw, coslyd iddo i'w gwisgo, ac yna tynnwyd a thorrwyd ei wallt yn frwnt, nes bod croen ei ben yn teimlo fel pe bai wedi'i rwygo'n ddarnau mân. Gadawodd Jim i bopeth ddigwydd iddo. Roedd e'n rhy ofnus i wrthwynebu. Y cyfan oedd arno eisiau oedd cael bod gyda'i fam.

Cafodd ei arwain nôl i neuadd fawr a'i orchymyn i ymuno â rhes o fechgyn tawel yno. Roedden nhw'n sefyll gyda'u pennau i lawr a phowlenni yn eu dwylo. Roedd cannoedd ar gannoedd o bobl yn yr ystafell, pob un yn eistedd wrth fyrddau hir, pob un yn bwyta mewn distawrwydd. Yr unig sŵn oedd sŵn y cyllyll a'r ffyrc yn crafu ar y platiau a synau cnoi a llyncu. Roedd pob un o'r meinciau'n wynebu i'r un cyfeiriad. Eisteddai Mr Sissons ar focs uchel ym mhen draw'r ystafell, yn gwylio pawb wrth iddyn nhw aros am eu bwyd.

Rhoddwyd llond lletwad o gawl i Jim a chornel o fara.

'Dwi ddim mo'yn unrhyw beth,' dechreuodd ddweud, ond fe'i gwthiwyd ymlaen. Dilynodd Jim y bachgen o'i flaen ac eisteddodd ar fainc wrth ei ymyl. Edrychodd yn gyflym o'i amgylch, gan geisio dal llygad rhywun, ond feiddiodd neb edrych arno. Roedden nhw i gyd yn syllu i'w powlenni. Sleifiodd y bachgen drws nesaf ei law ato a dwyn ei ddarn bara. Bwytaodd Jim ei gawl mewn distawrwydd.

Ar ôl bwyd daeth y dyn crwm draw ato a rhoi blanced i Jim cyn dangos stafell llawn silffoedd a bocsys iddo. Dyma ble roedd y bechgyn yn cysgu. Pwyntiodd at focs lle dylai Jim gysgu. Dringodd Jim i mewn iddo a chanfod mai dim ond ychydig o le oedd ynddo, prin digon o le i droi er mai bach oedd Jim. Clymodd esgidiau Lizzie o amgylch ei arddwrn rhag i neb geisio eu dwyn. Roedd drws y stafell ar glo, a gorweddai pawb yn y tywyllwch.

Yn ystod y nos, cerddai hen fenyw i fyny ac i lawr yr ystafell gyda channwyll yn ei llaw, gan godi'r gannwyll o flaen wyneb pob bachgen wrth iddi basio. Gallai Jim glywed bechgyn yn llefain, ond roedden nhw'n gwneud ymdrech i beidio â chrio wrth i'r fenyw fynd a dod heibio iddynt. Gorweddai Jim â'i lygaid ynghau, y gannwyll yn goleuo'n goch yn erbyn ei lygaid caeedig wrth iddi nesáu a stopio wrth ei ymyl. Gallai glywed ei hanadl snwfflyd a gwichian ei hesgidiau. Ni fentrai anadlu bron. Bu ar ddihun drwy'r nos, yn meddwl am Emily a Lizzie ac yn poeni am ei fam. Roedd e'n dyheu am ei gweld hi. Pe bai hi'n gwella, efallai y gallai ofyn i Mr Sissons eu gadael yn rhydd.

Cyn gynted ag y daeth y bore, datglowyd y drws a daeth y dyn crwm i gymryd lle Marion, yr hen fenyw. Gwaeddodd ar y bechgyn i ffurfio rhes yn yr iard er mwyn ymolchi.

'Dwi wedi torri'r iâ ar eich cyfer yn barod,' meddai wrthynt. 'Felly peidiwch â cheisio'i osgoi.'

Rhedodd Jim ar ei ôl. Roedd y dyn mor grwm nes bod rhan uchaf ei gorff wedi plygu fel ffon fugail, a phan siaradodd Jim gyda fe, trodd ei ben o gwmpas i edrych ar draed y bachgen.

'Os gwelwch yn dda, syr …' meddai Jim.

'Dim "syr" ydw i,' meddai'r dyn. 'Dim ond gwneud fy ngwaith i ydw i, 'run fath â phawb arall. Dim ond Joseff ydw i, dim "syr".' Trodd ei ben i ffwrdd oddi wrth draed Jim a phoeri ar y llawr. 'Dwi'n casáu "syr", 'run fath â thi.'

'Plîs, Joseff, dwedwch wrtha i ble ma'r ysbyty.'

'Pam ddylwn i ddweud hynny wrthot ti?' gofynnodd Joseff, ei lygaid yn syllu ar draed Jim unwaith eto.

'Achos bod Mam yno, a dwi wedi bod yn dda,' atebodd Jim. 'Fe ddwedodd Mrs Sissons y byddwn i'n cael mynd i weld Mam yn yr ysbyty heddi os o'n i'n bihafio.'

'Ti o'dd y bachgen ddaeth mewn neithiwr, a dy fam ar y gert?'

'Ie,' meddai Jim. 'Plîs allwch chi ddweud wrtha i ble mae'r ysbyty?'

Gwnaeth Joseff ryw sŵn cnoi. 'Wel, mae e lan y grisiau,' meddai o'r diwedd. Rhwbiodd ei drwyn gyda chefn ei law a phwyso'i ben i'r ochr, gan grychu ei lygaid wrth edrych ar Jim. 'Ond y neges ges i gan Mrs Sissons oedd i beidio â thrafferthu mynd â'r crwt lan yno, achos bod ei fam wedi …' Stopiodd, ysgwyd ei ben a dechrau cnoi unwaith eto. 'Mae dy fam wedi marw, 'machgen i.'

5

Yn y carchar

Gwthiodd Jim ei ddyrnau'n ddwfn i'w bocedi a throi i edrych i'r naill ochr. Roedd y bechgyn o'i amgylch yn cerdded yn drymaidd allan i'r iard ac yn pylu'n siapiau llwyd wrth i lygaid Jim lenwi â dagrau. Caeodd ei lygaid yn erbyn golau llachar yr awyr. Doedd e ddim yn mynd i lefain fan hyn. Roedd ei ysgyfaint yn llosgi a theimlai na allai anadlu byth eto, ond fyddai e ddim yn llefain fan hyn. Yr unig berson roedd arno eisiau ei gweld oedd Rosie. Fe fyddai hi'n gwybod beth i'w wneud. Fe fyddai hi'n dweud wrth Emily a Lizzie. Ond doedd bod gyda Rosie ddim yn bosibl.

'Dwi eisiau mynd adre,' meddai Jim.

Trodd Joseff ato a phoeri. 'Adre?' meddai. 'Beth wyt ti'n feddwl "adre"? Beth yw fan hyn ond adre?'

Felly, meddyliodd Jim, dyma fy nghartref i nawr, yr adeilad anferthol yma gyda bariau haearn ar y ffenestri a rheiliau haearn tu fas. Mr a Mrs Sissons oedd ei rieni nawr, mae'n rhaid, y ddau mor denau a gwelw â chanhwyllau. Ac os mai nhw oedd ei rieni, yna brodyr iddo oedd y bechgyn diflas, esgyrnog oedd yn cysgu a chrio yn yr un ystafell ag ef a'i chwiorydd oedd y merched carpiog oedd wedi anghofio sut i wenu.

'Alla i ei gweld hi ta beth?'

Ysgydwodd Joseff ei ben. 'Fe aeth hi i dŷ'r meirw yn ystod y nos, ac allan ar gert y tlodion cyn y wawr,

’machgen i. Mae’r tlodion yn cael eu claddu’n gyflym. ’Sdim arian i dalu am glychau angladdol a phethe fel’ny.’

Cerddodd Jim yn fud o un ystafell i’r llall, yn ufuddhau i bob gorchymyn, o’r bocsys cysgu i’r iard, y ffreutur, yr iard, ac yna’n ôl i’w focs cysgu … roedd patrwm y diwrnod fel dawns bron, a’r camau bob amser yr un fath, yn cael eu hailadrodd ddydd ar ôl dydd.

Byddai’r bore’n dechrau gyda chloch chwech, pan oedd yn rhaid i bob bachgen ymolchi o dan y pwmp. Gwyliai Joseff hwy, ei ben yn troi o ochr i ochr a’i wddf yn plygu fel gwddf aderyn ysglyfaethus. Chwifiai ei freichiau o amgylch ei frest er mwyn cadw’n gynnes.

‘Ymolchwch yn glou, fechgyn,’ meddai, ‘cyn i’r oerfel ’ma fy rhewi fi yn y fan a’r lle.’

Gyferbyn â’r pwmp ar yr iard oedd y seilam. Danfonid pobl wallgof yno, a chloi’r drysau. Byddent yn udo a chrio am oriau, gan ymestyn eu breichiau trwy fariau eu carchar. ‘Dere â darn o fara i mi, fachgen!’ fydden nhw’n gweiddi, neu ‘Gadewch fi mas! Gadewch fi mas!’

‘Paid â chymryd dim sylw ohonyn nhw,’ meddai un bachgen a mop o wallt ganddo un diwrnod. ‘Maen nhw’n wallgo, yn waeth nag anifeiliaid.’ Arswydodd Jim. Syllodd unwaith eto ar y dynion a’r menywod a’r plant oedd wedi’u gwasgu at ei gilydd. Roedd y caets yn rhy fach ar eu cyfer, a’u hwylofain yn atseinio o gwmpas yr iard. ‘Anifeiliaid, anifeiliaid,’ meddai Jim wrtho’i hun, gan geisio gyrru eu sŵn o’i ben. Edrychodd i ffwrdd oddi wrthyn nhw, ac esgus nad oedden nhw yno.

‘Na, dy’n nhw ddim yn anifeiliaid, Jim,’ meddai

Joseff wrtho. 'Pobl y'n nhw. Pobl, Jim. Ma fy mam i mewn 'na.'

Roedd yna sièd ym mhen arall yr iard, a syllai bechgyn arnyn nhw trwy ffenest fechan â bariau arni. Roedd wynebau gwyn y bechgyn hynny yn waeth na wylofain y gwallgofion. Croesodd Joseff draw at Jim ar y bore cyntaf hwnnw a rhoi ei fraich ar ei ysgwydd, gan ostwng ei ben i sibrwd yng nghlust Jim. 'Nawr 'te, rheina yw'r bechgyn geisiodd ddianc o fan hyn. Ma nhw'n eu dala nhw, yn eu curo nhw'n ddidrugaredd ac yna'n eu taflu nhw mewn i fyn'na nes byddan nhw'n penderfynu bihafio. Cofia di 'ny.'

Wedi'r olchfa oer bob bore, byddai'n rhaid i Jim helpu i lanhau'r iard gydag ysgubau oedd ddwywaith yn dalach na fe. Roedd yn rhaid ysgubo'r iard nes oedd y llawr yn foel a glân, hyd yn oed petai cannoedd o ddail wedi hedfan dros y waliau uchel a glanio yno dros nos. Amser brecwast, byddai'r bechgyn yn aros mewn rhes gyda'u powlenni am de a thocyn o fara. Roedd y tocyn i fod yn ddigon i bara trwy'r dydd, ar gyfer pob pryd o fwyd, ond os oedd Jim yn ei gadw byddai'r bechgyn hŷn yn ei ddwyn oddi arno'n gyflym. Dysgodd lowcio'i fwyd cyn gynted ag y medrai – cig wedi'i ferwi amser cinio, a chaws i swper, a phopeth wedi'i lyncu'n gyflym a distaw.

Weithiau byddai Mr Sissons yn darllen storïau o'r Beibl iddyn nhw tra bydden nhw'n bwyta, a byddai ei lais main yn atseinio o amgylch yr ystafell dros sŵn y cyllyll a'r ffyrc. Doedd Jim byth yn gwrando arno. Yr unig beth ar ei feddwl oedd ei fam, Emily a Lizzie.

Bob nawr ac yn y man, byddai Mr Sissons yn peidio â darllen ac yn gostwng ei lyfr. Syllai o gwmpas yr ystafell, ei lygaid fel peli gwydr oer a'i fysedd yn clecian yn erbyn ei gilydd. Peidiai Jim â bwyta, gan ofni ei fod wedi gwneud rhywbeth o'i le. Eisteddai, gyda'i lwy yn hofran hanner ffordd rhwng ei geg a'i fowlen, nes byddai'r bachgen wrth ei ochr yn ei bwnio i'w atgoffa i ddechrau bwyta. Byddai Mr Sissons yn rhoi ei lyfr i lawr, yn neidio o'r llwyfan ac yn llithro rhwng y byrddau hir fel cysgod tenau, du. Gallai Jim ei weld o gornel ei lygad, ond fentrai e ddim edrych arno'n iawn.

Byddai'r meistr yn cydio yn un o'r bechgyn yn ddirybudd, yn ei dynnu oddi wrth bwrdd gerfydd ei goler a thasgu ei fowlen fwyd a'i chynnwys dros y bechgyn cyfagos.

'Camymddwyn, oeddet ti?' dywedai, â'i lais sych fel sŵn dail crin yn siffrwd. 'Yn bwyta fel mochyn? Cer i'r cafn, y mochyn!' A byddai'r bachgen yn cropian ar ei ddwylo a'i bengliniau draw at y cafn moch oedd bob amser wedi'i osod yn yr ystafell fwyta, ac yn bwyta ei fwyd yno, heb lwy na fforc. Weithiau, byddai hanner dwsin a mwy o bobl yn bwyta wrth y cafn, er mawr ddifyrrwch i Mr Sissons.

'Dim fi! Plîs paid â'm dewis i,' byddai Jim yn ei ddweud yn dawel wrtho'i hun pan fyddai Mr Sissons yn llithro heibio iddo, a'r aer yn rhewi o'i amgylch.

Doedd gan Jim ddim syniad pa mor hir y bu yn y wyrcws cyn iddo ddechrau meddwl am ddianc. I ddechrau, ymddangosai'n syniad amhosib, mor amhosib â throi'r pwmp dŵr yn yr iard yn goeden oedd yn blaguro gyda dail a blodau drosti. Meddyliodd am y bechgyn yn y sièd yn yr iard, a phawb yn syllu arnynt. Serch hynny, roedd yn rhaid iddo geisio. Un diwrnod, addawodd wrtho'i hun, byddai'n rhaid iddo fynd. Byddai'n gwylio am gyfle i hedfan, fel aderyn, a phan fyddai'n gwneud hynny, fyddai dim gobaith gan neb ei ddal.

Roedd e'n ofni meddwl gormod am y peth, rhag ofn y byddai Mr Sissons yn darllen ei feddwl ac yn ei glymu i gadair a'i guro fel roedd e'n curo'r bechgyn beiddgar eraill.

Dim ond gyda'r nos y byddai'n gadael iddo'i hun feddwl am ddianc, a bryd hynny teimlai fel pe bai'n agor cist o drysor cudd yn y tywyllwch. Cerddai'r hen wraig Marion â'i channwyll o gwmpas yr ystafell lle roedd y bechgyn yn gorwedd yn eu bocsys yn esgus cysgu, a byddai Jim yn gadael i'w ddychymyg grwydro. Byddai'n dianc. Byddai'n rhedeg a rhedeg trwy strydoedd Llundain ymhell bell o'r wyrcws. Byddai'n dod o hyd i rywle diogel. Rhywle y gallai ei alw'n gartref.

6

Tip

Ar y dechrau, doedd Jim ddim yn gallu dweud y gwahaniaeth rhwng un bachgen â'r llall. Roedd gan bob un ohonyn nhw'r un wyneb gwelw, tenau, a'r un llygaid pell, tywyll, a gwisgai pob un ohonynt yr un dillad a chapiau llwyd, crafog. Roedd gwallt pob bachgen wedi'i dorri a'i gribo ar union yr un patrwm, pob un ac eithrio'r bachgen oedd wedi siarad gyda Jim ar yr iard. Roedd ei wallt e'n hollol unigryw. Fe gafodd Jim ei hun yn dilyn y bachgen hwn o gwmpas gan mai dim ond fe roedd e'n ei adnabod, ond cymerodd beth amser cyn iddo fentro siarad ag e. Cymerodd beth amser cyn i Jim deimlo fel siarad ag unrhyw un. Roedd e'n gwbl ddideimlad, wedi ymgolli ynddo'i hunan yn llwyr, ond un diwrnod siaradodd Tip gydag e yn yr ysgol, a chyn hir Tip oedd y peth agosaf at ffrind y gallai Jim obeithio'i gael.

Ystafell hir, lwyd gyda chanhwyllau wedi'u gosod ar bob yn ail ddesg oedd yr ysgol, a dyna ble byddai'r bechgyn yn treulio pob bore. Roedd y ffenest fechan wedi'i phaentio fel na allent weld trwyddi, ac roedd lle tân yn un pen i'r ystafell gyda dillad gwely'n stemio o'i amgylch. Weithiau, byddai hen fenywod yn crwydro i mewn i'r ysgol i ofalu am y dillad, gan osod mwy o rai gwlyb i sychu a chario'r rhai sych oddi yno, yn barod i'w pacio a'u danfon nôl i'r tai crand. Y menywod golchi oedd y rhain, a'u gwaith yn y wyrcws oedd golchi dillad pobl gyfoethog. Byddai'r menywod yn eistedd wrth y tân o bryd i'w gilydd, yn sibrwd a mwmian wrth ei gilydd trwy'r gwersi, weithiau'n dweud pethau wrth y bechgyn ac weithiau'n gweiddi'r atebion anghywir ar yr hen athro byddar.

Roedd pedwar bwa mawr ar draws y nenfwd gyda llythrennau arnyn nhw, a byddai Mr Prydderch yn dechrau pob bore trwy bwyntio at y bwâu a gofyn i un o'r bechgyn ddarllen y geiriau arnyn nhw. 'Mae Duw yn dda, mae Duw yn sanctaidd, mae Duw yn deg, Duw cariad yw,' byddai'r menywod yn llafarganu cyn i'r bechgyn gael cyfle, gan wneud hynny yn y drefn anghywir weithiau, er mwyn achosi dryswch. Bryd hynny bydden nhw'n pwnio'i gilydd ac yn sgrechian chwerthin. Un bore, pan ddaeth tro Tip i ateb y cwestiwn, trodd at y menywod ac estyn ei law iddynt ateb. Ysgydwon nhw eu pennau, a chau eu cegau'n dynn, yn ysgwyd gan chwerthin. Cafodd Tip gymaint o sioc, dechreuodd yntau chwerthin yn uchel. Cydiodd Mr Prydderch ynddo gerfydd ei siaced a'i godi'n uchel o'r llawr a'i ysgwyd.

'Does dim byd i chwerthin amdano yn fan hyn,' gwaeddodd.

'Nag oes, syr, dim byd,' cytunodd Tip, ac ysgydwodd Mr Prydderch ef eto. Roedd y menywod wrth eu bodd.

Darllenodd Mr Prydderch yn uchel i'r bechgyn am weddill y bore, gan gerdded i fyny ac i lawr yr ystafell a gwneud i fflamau'r canhwyllau grynu tra oedd ei gysgod du yn dawnsio ar y waliau. Cydiai mewn rhaff a chwlwm tyn ynddi yn ei ddwylo, ac weithiau byddai'n dyrnu'r ddesg gydag ef er mwyn dychryn y bechgyn a'u cadw'n effro. Bob nawr ac yn y man byddai'n stopio a phwyntio at fachgen, a byddai'n rhaid i hwnnw godi ar ei draed ac ailadrodd y frawddeg yr oedd newydd ei chlywed. Petai'n digwydd adrodd y frawddeg yn anghywir byddai Mr Prydderch yn chwipio'r rhaff ar draws ei ddwylo.

Er mwyn amrywio'r gwersi, byddai Mr Prydderch weithiau'n gofyn i fachgen estyn ei hen gopi llychlyd o Lyfr Sillafu Dr Edwards. Byddai'n neidio ar unrhyw fachgen ac yn gweiddi 'Sillafa "arweinydd!",' gan chwifio'r rhaff yn fygythiol.

Un bore, rhoddwyd llechen a sialc i'r bechgyn eu defnyddio. Roedd ymwelydd â'r wyrcws wedi'u cyflwyno'n anrhegion i'r ysgol. Arhosodd y llechi ar y desgiau trwy'r bore, tra syllai'r bechgyn arnynt, yn ysu am gyfle i'w defnyddio.

'Fe gewch chi ysgrifennu nawr,' meddai Mr Prydderch wrthynt o'r diwedd, gan godi ei hunan i'w gadair uchel â chryn drafferth. Cododd Tip ei law.

'Plîs, syr, beth ddylien ni sgwennu?' gofynnodd.

'Siarada'n uwch, fachgen!'

'Beth ddylien ni sgwennu?' rhuodd Tip.

'Beth ddylech chi ysgrifennu?' gwaeddodd Mr Prydderch. 'Wel, Gweddi'r Arglwydd wrth gwrs!'

Mentrodd Jim edrych ar y bechgyn eraill wrth iddynt ddechrau ar y dasg, gan wylio eu hanadl yn codi'n fyglyd yn yr awyr oer. Pwysodd ei benelinoedd ar y ddesg a rhoi ei ben yn ei ddwylo. Teimlai fel pe bai ei du mewn yn oer, yn unig ac ar goll a theimlai'n ofnus. Wrth ei ochr, gallai glywed Tip yn crafu'r sialc yn wichlyd ar draws ei lechen, yn creu siapiau aneglur.

Gwthiai ei dafod allan rhwng ei wefusau wrth iddo weithio. Ciledrychodd ar Jim.

'Pam nad wyt ti'n sgwennu?' sibrydodd.

'Achos alla i ddim,' sibrydodd Jim yn ôl. 'Ddysges i 'rioed sut i sgwennu.'

'Yffach, ma fe'n hawdd!' Cododd aeliau Tip yn uchel a diflannu i ganol y mop o wallt. 'Gwthia dy sialc ar draws y llechen, fel hyn.' Crafodd ei sialc wrth iddo ymdrechu. ''Na fe!' Pwysodd nôl yn fuddugoliaethus a chwythu sialc oddi ar ei lechen. Dangosodd ei waith i Jim.

'Ma hwnna'n dda,' cytunodd Jim. 'Ond beth mae e'n ddweud?'

Saethodd aeliau Tip i mewn i'w wallt eto. 'Sai'n gwybod! Sai'n gallu darllen!'

Chwarddodd Jim i mewn i'w ddwylo, a neidiodd Mr Prydderch ar ddihun. Herciodd ei ffordd i lawr rhwng y desgiau at Jim.

'Chwerthaist ti?'

Teimlai Jim fel pe bai wedi fferru yn ei sedd. Glynodd ei wefusau at ei gilydd fel pe baent wedi rhewi.

'Na, nid fe wnaeth. Fi chwarddodd.' Neidiodd Tip ar ei draed wrth i'r athro godi ei raff a'i chwipio ar draws llaw'r bachgen. Chwarddodd y menywod oedd wrth eu gwaith yn afreolus. Eisteddai'r bechgyn eraill yn fud wrth i hyn ddigwydd, yn syllu'n syth o'u blaenau a'u breichiau wedi'u plethu.

Safai Mr Prydderch uwchben Jim. 'Beth ddwedodd e wrthot ti?'

Gorfododd Jim ei hun i sefyll, er bod ei goesau'n gwegian fel brigau coed mewn corwynt.

'Mi ddwedodd nad oedd e'n gallu darllen, syr,' sibrydodd. Bu'n rhaid iddo weiddi sawl gwaith cyn i Mr Prydderch ei glywed.

'Ddim yn gallu darllen!' ebychodd yr athro. 'Ddim yn gallu darllen? Wrth gwrs nad yw e'n gallu darllen! Beth yw'r pwynt dysgu bechgyn fel fe sut i ddarllen? Pa ddefnydd yw darllen ac ysgrifennu i unrhyw un ohonoch chi, fechgyn sarrug, truenus fel ag ydych chi?' Tynnodd law Tip tuag ato eto a tharo'r rhaff ar ei thraws drachefn.

Edrychodd Jim yn gyflym ar Tip, gan ofni siarad. Gallai weld bod llygaid y bachgen yn wlyb gan ddagrau, a'i fod yn dal ei law yn dyner dan ei gesail.

'Ysgrifennwch!' cyfarthodd Mr Prydderch, a chododd Jim ei sialc a dechrau sgriblo'n wyllt gyda fe, yn union fel yr oedd Tip wedi'i wneud yn gynharach.

Ar ddiwedd y bore, gorchmynnodd Mr Prydderch i'r bechgyn estyn eu hofferynnau, a chyda rhuthr mawr a thaflu desgiau i'r naill ochr rhedodd y bechgyn draw at y cwpwrdd mawr ym mhen pella'r ystafell. Gwaeddodd Mr Prydderch arnynt a gorchymyn iddynt wneud y cyfan eto, mewn distawrwydd y tro hwn.

'Mi fyddwn i wedi cael fy mwrw beth bynnag,' mwmialodd Tip wrth Jim yng nghanol y sŵn. Roedd ei lygaid yn wlyb o hyd.

'Oedd e'n gwneud dolur?' gofynnodd Jim wrtho.

Ysgydwodd Tip ei ben. 'Unwaith mae Prydderch wedi dechrau dy fwrw di, bydd e'n dy fwrw di o hyd,' meddai. Chwythodd ar ei law a'i gwthio eto o dan ei gesail. 'Bob dydd os caiff e'r cyfle, felly paid â rhoi'r cyfle iddo ddechrau. Os gwnaiff e dy feio di am unrhyw beth, dwed wrtho mai Tip wnaeth e. Bydd Tip yn cael ei fwrw beth bynnag, felly man a man i ti wneud hynny.'

Rhoddwyd drwm ar y ddesg iddynt ei rannu, a safodd Tip er mwyn cael gafael ar ffon. Wedi i'r athro chwifio ei law dechreuodd yr emyn-dôn, ac roedd cymaint o sŵn a churo nes y bu'n rhaid i'r menywod golchi redeg allan a'u dwylo dros eu clustiau. Doedd Jim heb glywed dim byd tebyg o'r blaen. Gwthiodd Tip y ffon i asennau Jim a geirio wrtho dros y sŵn iddo fwrw ochr draw'r drwm gyda hi. Dim ond taro'r drwm yn ysgafn wnaeth Jim i ddechrau. Syllodd ar Tip mewn ymdrech i weld oedd yna unrhyw fath o rythm yn yr holl sŵn aflafar, a gwelodd fod y bechgyn fel petaent yn llafarganu rhywbeth, eu cegau'n agor a chau ynghanol holl dwrw'r drymiau a'r chwibanau, tra neidiai fflamau'r canhwyllau fel ellyll bach gwyn.

'Beth wyt ti'n ddweud?' gwaeddodd Jim, mor agos ag y gallai fynd at glust Tip. Trodd Tip tuag ato.

'Dwi'n casáu'r lle 'ma!' gallai Jim glywed llais Tip yn gweiddi dros sŵn y drwm. Roedd ei lygaid ynghau. Bwriodd y drwm gyda phob gair. 'Dwi'n *casáu'r* lle 'ma! Bang *bang* bang bang.'

'A finnau hefyd,' meddai Jim. 'Bang bang bang.' Caeodd ei lygaid a phwyso'i ben yn ôl. Gwaeddodd i'r tywyllwch, gan agor ei geg yn llydan er mwyn cael gwared ar y tensiwn yn ei wddf. 'Dwi mo'yn Dad. Dwi mo'yn Mam. Bang bang bang. Dwi mo'yn Emily. Bang bang bang. Dwi mo'yn Lizzie. Bang bang bang! Dwi mo'yn mynd adre.'

Cododd Mr Prydderch ei law a stopiodd y sŵn. Tawelwch llwyr, tawelwch yn chwyrlïo o'u hamgylch. Teimlodd Jim ei feddyliau'n diflannu i'r tawelwch ac yn setlo. Teimlai'n well yn awr.

7

Y peth gwyllt

'Joseff,' gofynnodd Jim i'r dyn crwm yn yr iard un diwrnod. 'Ers faint wyt ti wedi bod 'ma?'

'Yma yn fan hyn?' Trodd Joseff ei ben ac edrych i fyny ar Jim. 'Mae'n teimlo fel 'sen i wedi cael fy ngeni 'ma. Sai'n nabod unman arall, fachgen. A sai'n nabod y lle 'ma'n iawn chwaith.' Pwysodd yn erbyn Jim fel y gallai syllu ar yr adeilad hir a'i resi o ffenestri barrog. 'Fues i 'rioed yn y stafell ble mae'r menywod yn mynd, ond mae'n rhaid fy mod i wedi bod yn stafell y babanod amser maith yn ôl, gyda Mam siŵr o fod. Dwi wedi bod yn yr ysbyty hefyd, ond ma pob math o goridorau troellog a stafelloedd bach yma, llefydd dwi 'rioed wedi bod ynddyn nhw, a llefydd nad ydw i eisiau mynd iddyn nhw chwaith. Ma'r byd i gyd yn y lle 'ma.' Agorodd ei ddwylo. 'Y byd i gyd.'

'Nagyw ddim, Joseff,' meddai Jim wrtho. ''Sdim siopau 'ma, a dim cerbydau. A dim coed.' Caeodd ei lygaid, a gorfodi 'i hun i gofio sut le oedd ar y tu fas. 'A 'sdim afon 'ma. Mae 'na afon anferth tu fas i fan hyn.'

'Oes 'na, nawr?' meddai Joseff. 'Fe hoffwn i weld yr afon 'na. Ond a dweud y gwir wrthot ti, Jim, sai'n gwybod beth yw afon. Weda i rywbeth wrthot ti.' Rhoddodd ei fraich dros ysgwydd Jim er mwyn tynnu'i glust yn nes ato. 'Dwi ddim mo'yn marw mewn fan hyn. Petai rywun yn gallu dweud wrtha i pa ddiwrnod y bydda i'n marw, bydden i'n ddiolchgar iawn. Mi fyddwn i'n dringo dros y wal 'na'n gynta.' Gostyngodd ei ben a syllu ar ei esgidiau. 'Ie, dyna beth fydden i'n ei wneud.'

Pesychodd Tip a phwnio Jim, ond roedd Jim yn syllu ar y waliau uchel oedd yn amgylchynu'r wyrcws, ac ar yr awyr ddi-liw uwchben.

'Ers pryd ydw i yma, Tip?' gofynnodd.

'Pam wyt ti'n gofyn i mi?' Lapiodd Tip ei freichiau'n dynnach amdano. 'Dere Jim, symuda. Ma hi'n oer.'

Roedd hi'n amhosib gwahaniaethu rhwng un dydd a'r llall. Roedd pob diwrnod yr un fath. Ysgol, gwneud sachau, gwely. Yr unig beth oedd yn newid oedd yr awyr. Roedd Jim wedi gweld llwydni'r cymylau eira yn troi'n gymylau glaw'r gwanwyn. Roedd wedi teimlo haul yr haf yn danbaid ar ei ddillad crafog. A nawr roedd yr awyr yn llwyd unwaith eto, ac roedd iâ ar y pwmp dŵr.

'Dwi wedi bod yma ers blwyddyn,' meddai Jim.

Dyna pryd y dechreuodd yr addewid gyfrinachol honno neidio o gwmpas y tu mewn iddo, fel peth gwyllt.

'Mae'n rhaid i mi fynd,' meddai, gan adael i'r syniad dyfu ynddo. 'Os na wna i, mi fydda i fel Joseff. Un diwrnod, fydda i ddim yn cofio a ges i fy ngeni 'ma neu beidio. Fydda i ddim yn nabod unrhyw le arall ond fan hyn.'

Yn ystod gwersi'r diwrnod hwnnw rhygnodd llais yr hen athro ymlaen ac ymlaen yn yr ystafell ddosbarth lwyd. Pesychai'r bechgyn wrth iddynt eistedd yn eu cwman oherwydd yr oerfel. Roedd meddyliau gwallgo

Jim yn gweiddi y tu mewn iddo; roedden nhw mor swnllyd nes yr ofnai Jim y byddai pawb yn eu clywed. Pwysodd draw at Tip a sibrydodd 'Tip, dwi'n mynd i redeg i ffwrdd heddi. Wyt ti am ddod gyda mi?'

Trodd Tip ato'n gyflym, a'i law dros ei geg. Neidiodd Mr Prydderch o'i gadair, ei lygaid yn pefrio gyda chasineb a gorfoledd.

'Siaradest ti!' meddai wrth Jim, yn fuddugoliaethus. 'Ti oedd e.'

Caeodd Tip ei lygaid a dal ei law allan, ond safodd Jim ar ei draed. Doedd dim gwahaniaeth ganddo. Doedd e ddim yn becso rhagor. Tynnodd yr athro ef oddi ar ei gadair a chodi'r rhaff yn yr awyr. Suodd y rhaff wrth hedfan drwy'r awyr.

''Sdim gwahaniaeth gen i,' ceisiodd Jim egluro, ond gwylltiodd hynny Mr Prydderch yn fwy fyth. Roedd e wedi dal Jim o'r diwedd, ac roedd e'n ei guro nawr i ddial am yr holl droeon yr oedd wedi ceisio'i ddal ond wedi methu. Tynnodd hances boced seimllyd o'i boced a'i chlymu o amgylch pen Jim gan roi cwlwm o dan ei ên.

'Rhag ofn y byddi di'n teimlo fel gweiddi,' meddai. Syllodd pob un o'r bechgyn yn eu blaenau. Trawai'r rhaff ef drosodd a throsodd, a gallai Jim deimlo ei du mewn fel aderyn gwyllt. Neidiai'r aderyn o gwmpas ei goesau a'i fola, yn ei frest a'i ben, mor wyllt a swnllyd nawr nes yr ofnai Jim y byddai'r aderyn yn ei godi a'i gario o'r lle.

Pan orffennodd yr athro gydag ef, taflodd ef ar draws y ddesg fel clwtyn. Gorweddai Jim mewn breuddwyd o boen. Roedd e eisiau cysgu. Canodd y gloch a chododd y bechgyn i adael. Teimlodd Jim law Tip ar ei ysgwydd.

Trodd oddi wrtho.

'Dyna beth maen nhw'n ei wneud i'r bechgyn sy'n ceisio dianc, Jim,' sibrydodd Tip. 'Maen nhw'n eu curo nhw fel'na bob dydd nes byddan nhw'n bihafio.'

Teimlodd Jim y peth gwyllt yn neidio eto. 'Dim ond os ydyn nhw'n eu dal nhw.'

'Ma nhw wastad yn eu dal nhw. Ma'r heddlu'n eu dal nhw ac yn dod â nhw nôl, ac ma nhw'n cael eu curo a'u curo.'

Ymdrechodd Jim i eistedd. Roedd y dolur yn rowlio i lawr ei gorff. 'Wnei di ddim dod 'da fi?'

'Fedra i ddim mentro. Onest. Fedra i ddim. Paid â mynd, Jim.'

Edrychodd Jim lan ar fwâu'r ystafell. Roedd yn gwybod y geiriau'n iawn erbyn hyn. Mae Duw yn dda. Mae Duw yn sanctaidd. Mae Duw yn deg. Duw cariad yw.

'Ma rhaid i fi,' meddai. 'A dwi'n mynd heno 'ma, Tip.'

8

Y glanhawyr carpedi

Roedd Jim yn gwybod y byddai'n rhaid iddo fynd cyn i Marion ddechrau ar ei theithiau'r noson honno. Doedd ganddo ddim syniad sut y byddai'n dianc. Amser swper gwthiodd ei ddarn caws i'w boced, a phasiodd Tip ei gyfran yntau draw ato.

Ar ddiwedd y pryd bwyd cododd Mr Sissons ar ei draed. Peidiodd yr holl symud a siffrwd. Trodd ei gorff o gwmpas yn araf, a syllu ar bawb yn eu tro yn ôl ei arfer, gan wneud i bawb rewi fel delwau.

'Dwi'n chwilio am fechgyn mawr,' meddai. 'I helpu'r glanhawyr carpedi.' Oedodd Mr Sissons yn y tawelwch, ond symudodd neb.

'Yn union fel y bydden i'n ei ddisgwyl. Pawb yn rhuthro i helpu pan fo salwch ar y wardiau.' Atseiniodd ochenaid oer trwy'r ystafell. Chwarddodd Mr Sissons yn ei ffordd sych. 'Falle mai colera yw e, fy rhai bach i. Dyna beth glywais i. Mae gen i ddwy fil o bobl i'w bwydo yma, ac mae'n rhaid ennill arian, colera neu beidio. Mae'n rhaid talu am y moddion. Mae'n rhaid talu am yr angladdau.' Trodd ei gorff mewn cylch araf, llechwraidd eto. 'Mae digon o fechgyn cryf yma, bechgyn sy'n bwyta pob briwsionyn dwi'n ei roi iddyn nhw, heb air o ddiolch.' Camodd i lawr o'i lwyfan a cherdded rhwng y byrddau, gan fwrw cefn pennau'r bechgyn wrth iddo eu pasio. 'Dwi eisiau pob un ohonoch chi lan yn wardiau'r menywod yn syth ar ôl swper, a does yr un ohonoch chi i ddod nôl lawr nes bydd y carpedi wedi'u gwneud i gyd.'

'Beth yw carpedi?' gofynnodd Jim.

'Sai'n gwybod,' sibrydodd Tip. 'Maen nhw'n dod o dai'r bobl grand, ac mae'r menywod yma'n eu curo nhw, ac yn eu danfon nhw nôl wedyn.'

'Dwi'n mynd gyda nhw,' meddai Jim yn sydyn, gan sefyll ar ei draed ar ôl i'r bechgyn mawr wneud.

'Hen un dwl wyt ti,' meddai Tip. 'Gofyn am fechgyn mawr wnaeth e.'

'Wyt ti'n dod neu beidio?' Rhedodd Jim ar ôl y bechgyn mawr, a dilynodd Tip ef.

Cawsant eu harwain i un o wardiau'r ysbyty. Cyn gynted ag y gwelodd y bobl yn eu gwelyau meddyliodd Jim am ei fam. Ai hon oedd yr ystafell yr anfonwyd hi iddi, y noson honno pan gyrhaeddodd y ddau i'r wyrcws? Tybed a oedd unrhyw un yno yn ei chofio'n cyrracdd, ncu tybed a oedd unrhyw un yno wedi siarad â hi?

Roedd yr awyr yn llawn llwch ac roedd sŵn taro rhythmig yn llenwi'r lle. Roedd rhaffau wedi'u clymu o un pen o'r ward i'r llall, a charpedi'n hongian arnynt. Roedd menywod a bechgyn mawr, â'u llewys wedi'u torchi, yn bwrw'r carpedi gyda ffyn gwastad, a chodai'r llwch i'r awyr fel cymylau o bryfed gyda phob trawiad. Yn eu gwelyau, gorweddai'r cleifion yn pesychu a phoeri ac yn ymbil am ddŵr, ac roedd yr hen nyrs yn stryffaglu o wely i wely, gan achwyn a chweryla gyda phob un yn ei dro.

Cerddodd y fenyw oedd â gofal y glanhawyr i lawr y rhes a sefyll yno â'i dwylo ar ei chluniau, yn gwylio

Jim a Tip. Roedd y bechgyn yn sefyll ar flaenau eu traed yn ceisio bwrw canol y carpedi â'u ffyn. Teimlai Jim mor stiff ar ôl cael ei guro fel mai prin y medrai godi ei ddwylo yn uwch na'i ysgwyddau.

'Nawr 'te, pwy ddanfonodd y ddau ohonoch chi draw 'ma?' chwarddodd y fenyw. 'Man a man i ni ofyn i ddau bry bach ddod yma i wneud y gwaith!'

Camodd Jim yn ôl, wedi llwyr ymlâdd, gan adael i'w ffon gwympo i'r llawr. 'Ry'n ni'n gryf iawn, chi'n gwbod,' meddai. 'Edrychwch!' ac fe blygodd ei fraich a gwasgu ei ddwrn er mwyn ceisio codi cyhyr. 'Ac fe wnawn ni rywbeth i helpu Mr Sissons, yn gwnawn, Tip?'

'Ry'ch chi i fod i guro'r carpedi, nid eu cosi nhw.' Plygodd y fenyw i lawr yn sydyn a chodi Jim yn ei breichiau. 'W, 'na fachgen mawr wyt ti!' A gwasgodd Jim yn dynn ati. 'Dwyt ti ddim yn rhy fawr i gael cwtsh fach!'

Brwydrodd Jim i ryddhau ei hunan, ac fe chwarddodd y fenyw a gadael iddo fynd.

'Mae angen mam ar fachgen fel ti,' meddai, gan sythu ei ffedog. 'Fel dwi angen bachgen bach. Golles i f'un i. Cyn gynted ag y des i 'ma, fe golles i fy machgen bach i. Ond pwy fydde eisie magu plentyn yn y fan hyn, ontefe?'

'Dere mlâ'n Jim,' meddai Tip, gan gochi. 'Awn ni nôl i'r stafelloedd gwnïo i weithio ar ein sachau.'

'Ond ry'n ni eisie helpu,' meddai Jim. 'Ry'n ni'n dda am gario, on'd y'n ni, Tip?'

'Odych chi nawr?' gofynnodd y fenyw. 'Wel 'te, cyn i chi fynd, gewch chi helpu i gario'r carped 'ma mas i'r iard. Ma 'na ddyn yno'n disgwyl gyda'i gert.'

Cydiodd mewn carped hir wedi'i rolio ac amneidiodd ar Jim a Tip i gario'r ddau ben. Rhyngddynt, llwyddasant i gario'r carped heibio i'r gwelyau a'r curwyr ac i lawr rhyw risiau hir. Eisteddai nyrs ar ddiwedd y coridor, yn gwau siôl ddu. Heb edrych arnyn nhw'n iawn, cododd, datgloi'r drws a suddo nôl i olau pŵl y gannwyll er mwyn cael parhau â'i gwau.

A thu allan i'r drws oedd y ffens reiliau a'r giât.

Gwyddai Jim mai dyma'r giât y daeth e drwyddi ar ei ffordd i mewn i'r wyrcws, fisoedd maith yn ôl. Gallai arogli'r awyr, milltiroedd ar filltiroedd o awyr. Gallai glywed lleisiau pobl gyffredin yn y stryd y tu allan. Gallai glywed holl gyffro'r ddinas.

Roedd dyn yn sefyll y tu mewn i'r giât gyda'i gert, a phan alwodd y fenyw arno daeth ymlaen i helpu, gan ddweud rhywbeth wrthi a wnaeth iddi chwerthin.

'Nawr te, rhedwch chi nôl i mewn, fechgyn,' meddai'r fenyw, gan wthio'i gwallt i mewn i'w chap. 'Ac ewch nôl i wnïo eich sachau, cofiwch. Dim rhagor o guro carpedi i chi, dim nes byddwch chi wedi tyfu ddwywaith yn fwy. Ydych chi'n cytuno â hynny, Tomos?'

Roedd ei llais yn ysgafn ac yn llawn chwerthin, ond gallai'r bechgyn weld o'r ffordd y codai ei hwyneb at y dyn ei fod e'n ffrind iddi, a bod ganddi lawer mwy o ddiddordeb ynddo fe nag ynddyn nhw. Pan ddilynodd hi Tomos i'r cysgodion o dan y wal roedden nhw'n gwybod ei bod hi wedi anghofio'n llwyr amdanynt.

Ac roedd y peth gwyllt yn dawnsio'n afreolus ym mrest Jim.

'Tip ...' sibrydodd. Dacw'r giât, led y pen ar agor,

a'r gert hanner ffordd trwyddi. Dacw'r lôn a llewyrch goleuadau'r stryd, a chlopian carnau ceffylau. Teimlodd don o ofn a chyffro yn codi y tu mewn iddo. Dyma'r foment. Cydiodd yn llaw ei ffrind a'i gwasgu'n dynn.

'Alla i ddim. Alla i ddim!' sibrydodd Tip. 'Paid anghofio amdana i, Jim.'

Llithrodd ei law i ffwrdd. Clywodd Jim grafu esgidiau ar yr eira a gwyddai fod Tip wedi rhedeg nôl i'r tŷ.

Cripiodd Jim yn ei flaen, yn anweledig yn y cysgodion, gan sefyll ychydig y tu mewn i'r giât. Bron na allai fentro anadlu. Clywodd fenyw'r carpedi yn chwerthin yn ysgafn, a manteisiodd ar ei gyfle. Sleifiodd allan trwy'r giât fel cath denau. Rhedodd ar flaenau'i draed ar hyd ffin allanol y ffens, gan ddal ei anadl wrth i gert rowlio heibio. Rhedodd allan y tu ôl i'r gert ac yna rhedeg ochr yn ochr â hi nes ei fod ymhell heibio i'r wyrcws. Roedd ei ysgyfaint yn teimlo fel petaen nhw'n ffrwydro. O'r diwedd, yn wan ac allan o wynt yn llwyr, cwympodd mewn stryd fach dawel.

Roedd e'n rhydd.

9

Y crafwr esgidiau

Roedd Jim yn sicr o un peth: byddai'n rhaid iddo gadw draw oddi wrth blismyn. 'Os gwelan nhw fi, mi fyddan nhw'n fy anfon i'n ôl,' meddyliodd. Cofiai'r bechgyn gwelw yn yr iard. 'Ond fe reda i i ffwrdd eto, gynted ag y ca i siawns arall.'

Roedd e am ddod o hyd i Rosie eto. Roedd hi wedi bod yn ffrind i'w fam. Efallai, petai'n llwyddo i ddod o hyd iddi, y gallai ddod o hyd i Emily a Lizzie hefyd. Ond roedd Llundain yn lle enfawr, prysur a swnllyd, a doedd ganddo ddim syniad o gwbl ble i fynd. Roedd y siopau ar agor o hyd, a'r strydoedd yn llawn gwerthwyr a'u platiau mawr o bysgod a ffrwythau, ac roedden nhw i gyd yn gweiddi enwau'r hyn roedden nhw'n ei werthu. Roedd menyw yn gwerthu coffi oddi ar gert fechan. Roedd arogl y coffi'n ei atgoffa o'r bore hwnnw yn y gegin yn y tŷ mawr pan roddodd Rosie ychydig o goffi'r meistr i'w fam.

Roedd synau'r nos yn drysu Jim – roedd wedi dod i arfer â thawelwch llethol y wyrcws, a sgrechiadau'r gwallgofion o hirbell. Allan yn fan hyn, doedd neb fel petaent yn cysgu. Dyfalodd y byddai'n fwy diogel mewn lle cyhoeddus, prysur. Roedd llawer o fechgyn yr un oedran ag ef yn rhedeg o un ochr o'r stryd i'r llall, gan neidio o olau lamp i olau lamp. Roedd yn hawdd esgus bod yn un o'r rhain. Cyn bo hir, arhosodd i orffwys yn erbyn wal siop, gan bwyso yn erbyn bachgen arall. Rhoddodd ei law yn ei boced i estyn am ddarn o gaws roedd wedi'i gadw ar gyfer swper. Edrychodd y bachgen arno, a chyn iddo gael cyfle i gipio'r caws oddi arno, roedd Jim wedi'i stwffio i'w geg.

'Wyt ti o'r wyrcws?' holodd y bachgen.

Ysgydwodd Jim ei ben.

'Fetia i dy fod ti. Dillad wyrcws yw'r rheina, yntê?'

Gwisgai'r bachgen drowsus carpiog a siaced denau, wedi'i rhwygo, ond roedd ei gap yr un fath ag un Jim. Cyn i Jim allu siarad ag e roedd e wedi cydio mewn brwsh llawr oedd wrth ei ochr ac wedi rhedeg allan i sefyll wrth ochr dyn mewn het dal a chot hir.

'Alla i glirio'r hewl i chi, syr?' gofynnodd, a phan nodiodd y gŵr, camodd y bachgen o'i flaen a dechrau brwsio llwybr iddo trwy'r eira meddal. Taflodd y dyn geiniog ato heb hyd yn oed edrych arno. Rhedodd Jim ar ôl y bachgen.

'Rho dy ddillad i mi, ac fe gei di fy rhai i,' cynigiodd.

'Dim gobaith!' chwarddodd y bachgen, a saethodd i ffwrdd gyda'r brwsh dros ei ysgwydd.

Clywodd Jim leisiau cras o'r tu ôl iddo. Roedd menyw â llond hambwrdd o lyswennod o gwmpas ei chanol yn gweiddi ar fenyw arall oedd yn gwerthu darnau eog wedi'u piclo. Roedd eraill yn dechrau ymuno yn y ddadl, ac yn closio at ei gilydd, a'r tu ôl iddynt, gyda'u hetiau uchel yn codi dros y dyrfa, gallai Jim weld dau blisman yn nesáu. Rhoddodd Jim ei ben i lawr a rhedeg.

Cyn bo hir, sylwodd ei fod wedi gadael yr ardal brysur, a'i fod yn rhedeg trwy strydoedd tawel heb ddim siopau. Roedd yr hewlydd yn lletach fan hyn, a'r tai yn grand. Teimlai Jim fod y tai yn gyfarwydd, ond roedden nhw i gyd yn debyg. Daeth i sgwâr tywyll oedd yn llawn coed tenau. Ynghanol y sgwâr roedd ffynnon, a bron fel pe bai Jim yn edrych trwy ffenest ar ei atgofion, gwyddai ei fod wedi bod yn fan hyn o'r blaen.

Eisteddodd ar risiau'r ffynnon. Roedd e wedi eistedd yma ar y siwrnai olaf honno, pan oedd ei fam wedi aros i yfed. Roedd e wedi rhoi ei ddwylo yn y dŵr oer. Ychydig ymhellach ymlaen, dylai weld cerflun o ddyn ar geffyl. Gorfododd Jim ei hun i sefyll, ac i fentro edrych. Roedd e yno. Yr union gerflun ag o'r blaen. Roedden nhw wedi stopio yno hefyd. Roedd hi wedi pwyso yn erbyn y cerflun, ac roedd yntau wedi gweld y ffynnon ac wedi'i helpu hi draw ati. Roedd hi mor wan erbyn hynny nes ei bod hi'n debycach i blentyn. Cofiai Jim mor ofnus a diymadferth roedd e wedi teimlo'r diwrnod hwnnw. Ac roedd hynny dros flwyddyn yn ôl. Allai e ddim credu bod blwyddyn gyfan wedi pasio ers i'w fam farw. Doedd Emily a Lizzie ddim yn gwybod. Roedd popeth fan hyn yn union fel roedd e flwyddyn yn ôl, y dyn ar ei geffyl, y ffynnon a'r tai mawr. Ond y tro hwn, doedd ei fam ddim yma.

Cerddodd yn araf at y cerflun. Roedd tair stryd yn arwain oddi wrtho, tair stryd hir a choediog, ac roedd Rosie'n gweithio yn rhywle ar un o'r strydoedd. Pe gallai ddod o hyd i Rosie, yna gallai ddod o hyd i Emily a Lizzie eto. Dechreuodd redeg.

Roedd y tai i gyd yn edrych yr un fath. Roedd rheiliau du o flaen pob un, a rhes o risiau'n codi tuag at y drws ffrynt a rhes fechan o risiau'n arwain i lawr at ystafelloedd y gweision. A fyddai'n rhaid iddo gnocio ar bob drws cyn dod o hyd i'r un iawn? Rhedodd i fyny un stryd, yna daeth yn ôl a rhedeg i fyny'r ail stryd. Clywodd sŵn, ac edrychodd o'i gwmpas. Roedd caets bychan yn hongian yn ffenest un o'r ceginau. Roedd llinos ynddo, yn neidio o gwmpas ac yn chwibanu'n uchel am gymar. Roedd Jim wedi'i chlywed o'r blaen. Roedd e yn y stryd gywir, a rhywle, ymhell i fyny'r stryd, oedd y tŷ y bu'n chwilio amdano.

Erbyn iddo stopio eto roedd e'n gwybod yn union am beth roedd e'n chwilio. Pan gwympodd ei fam ar risiau'r tŷ, a phan oedd Lizzie wedi edrych ar y tŷ ac wedi gofyn ai dyma ble bydden nhw'n byw, roedd e wedi gweld rhywbeth a wnaeth iddo obeithio nad hwn fyddai ei gartre newydd. Roedd e wedi sylwi ar grafwr esgidiau ar ffurf pen ci, gyda cheg lydan, ffyrnig. Cofiodd feddwl petai e'n rhoi ei droed yn y geg, y byddai'r geg yn cau amdano ac y byddai'n rhaid iddo aros yno am byth. Rhedodd o un ochr y stryd i'r llall yn chwilio amdano, ac yna, o'r diwedd, dyna fe. Roedd Jim wedi dod o hyd iddo.

Roedd y prif dŷ'n dywyll, ond i lawr yn ffenest y seler gallai weld golau gwan cannwyll. Simsanodd i lawr y grisiau yn ei esgidiau trwm a baglu yn erbyn y drws.

'Emily! Emily!' gwaeddodd. Cyn iddo gael cyfle i godi ei ddwrn i guro ar y drws, fe'i agorwyd, a chwympodd Jim i freichiau merch.

10

Betsi Gloff

'Dy'n ni ddim yn rhoi unrhyw beth i dlodion,' meddai'r ferch, gan geisio ei wthio allan trwy'r drws gyda'i phen-glin.

'Dwi'n chwilio am Emily.'

'Emily? 'Sdim Emily fan hyn.'

'Emily Jarvis. Mae hi'n helpu Rosie yn y gegin.'

'Rosie? Pwy yw hi?' Roedd y ferch yn chwerthin arno trwy ei gwallt hir.

'Rosie,' meddai Jim. 'Rhaid bo' chi'n 'nabod Rosie. Ma breichiau mawr 'da hi, a dyw hi ddim yn hoffi gwneud bara.'

Chwarddodd y ferch yn uchel ac edrych dros ei hysgwydd ar fenyw oedd yn gwnïo wrth y bwrdd.

'Glywsoch chi hynna?' meddai. 'Does neb yn fan hyn sy ddim yn hoffi gwneud bara, oes 'na?' Chwarddodd eto, a chwarddodd y fenyw arall yn sarhaus.

Syllodd Jim heibio i'r ferch. Mae'n rhaid mai hon oedd y gegin gywir. Mae'n rhaid.

'Well i ti fynd, fachgen,' meddai'r ferch. 'Rwyt ti wedi bod yma'n ddigon hir, dwi'n credu.'

'Roedd yna fenyw yma mewn ffrog ddu,' meddai Jim. 'Judd oedd ei henw hi, dwi'n meddwl. Byddai hi'n cofio.'

'Judd!' meddai'r fenyw arall. Rhoddodd ei defnydd i

lawr. 'Hi oedd yr howscipar ddiwethaf. Cafodd ei danfon oddi yma. Roedd 'na fenyw arall hefyd, y gogyddes. Ges i ei swydd hi. Fe gawson nhw eu dal yn cuddio plant yn y gegin, ac fe gafodd y Meistr wared arnyn nhw.'

'Fy chwiorydd i oedd y rheina,' meddai Jim. Roedd ei ben yn curo cymaint fel mai prin y gallai glywed ei lais ei hunan. 'Emily a Lizzie. Plîs, Miss, ydych chi'n gwybod ble maen nhw? Ble mae Rosie?'

Cododd y gogyddes ar ei thraed a cherddded at y drws. Safodd gyda'i breichiau wedi'u plethu, yn gwgu ar Jim. Meddalodd ei hwyneb wrth iddi ei weld yng ngolau'r gannwyll.

'Dillad wyrcws yw'r rheina?' gofynnodd.

'Peidiwch â hala fi'n ôl fyn'na,' erfyniodd Jim.

'Fydden i ddim yn hala fy ngelynion penna i yno,' meddai'r gogyddes. 'Dos di i'r gwely,' meddai wrth y ferch. 'Fe ga i wared ar hwn.'

Roedd y ferch yn meddwl mai jôc oedd y cyfan, a thynnodd gap Jim dros ei lygaid cyn cario'i channwyll i fyny'r grisiau cul oedd yn arwain at ystafelloedd y gweision. Tynnodd y gogyddes Jim i mewn i'r gegin a gorchymyn iddo eistedd wrth y tân.

'Rwyt ti'n lwcus,' meddai. 'Mae'r Meistr i ffwrdd dros nos. Pe bydde fe gartre fyddet ti ddim yn cael camu dros y rhiniog, neu mi fydden ni i gyd yn y wyrcws. Ac rwyt ti'n lwcus 'mod i wedi penderfynu aros lan i wnïo ychydig heno, felly paid â meddwl y gelli di ddwyn unrhyw beth.'

Ysgydwodd Jim ei ben, yn rhy ofnus i siarad.

'Paid ti â symud o fan'na.' Rhoddodd ei sbectol ar ei thrwyn a syllu ar Jim wrth iddo wingo yn ei gadair.

Roedd gwres y gegin yn gwneud iddo deimlo'n gysglyd. Estynnodd i'w boced a theimlo am weddillion y caws. Roedd e wedi mynd – mae'n rhaid bod y bachgen oedd yn glanhau'r stryd wedi'i ddwyn. Arllwysodd weddill y briwsion i gledr ei law. Heb ddweud gair, rhoddodd y fenyw ei gwnïo i'r naill ochr a chodi ychydig o'r cawl oddi ar y tân. Gwthiodd y fowlen o'i flaen a wincio arno heb wenu, a gwnaeth Jim ei orau glas i wincio'n ôl. Bwytaodd mewn tawelwch, ac fe wnïodd hithau'r un mor dawel, gan wgu ar ei nodwydd o bryd i'w gilydd, ac edrych dros ei sbectol arno bob nawr ac yn y man.

Yn raddol, cwympodd Jim i gysgu. Rywbryd yn ystod y nos dihunodd a chlywed sŵn chwyrnu ysgafn, a sylweddolodd fod y gogyddes wedi cysgu wrth wnïo, ond weithiau roedd hithau'n deffro'n ffrwt, a byddai Jim yn cysgu eto. O'r diwedd, deffrowyd y ddau gan gnocio caled ar y ffenest a llais yn galw, 'Hanner awr wedi pump, codwch!' Roedd y dihunwr yn hercian heibio i'r ffenest ar ei rownd foreol, a dyna Jim a'r gogyddes yn deffro o ddifrif.

Anfonodd hi Jim i'r iard gefn i nôl dŵr a phren, tra oedd hi'n gosod y tân a rhoi crochan o ddŵr i ferwi arno. Daeth y ferch lawr y grisiau, yn dylyfu gên yn gysglyd, a mwytho gwallt Jim wrth basio.

'Wyt ti'n dal 'ma?'

'Mae e ar ei ffordd, unrhyw funud nawr,' meddai'r gogyddes. 'Gynted ag y daw'r fenyw laeth mae e ar ei chert hi ac yn gadael, a ddaw e byth yn ôl. Wyt ti'n deall?'

Nodiodd Jim. Roedd e'n dyheu am iddynt ofyn iddo aros. Roedd e'n hoffi'r gegin gynnes a'r gogyddes oedd yn wincio, a'r peth gorau oll oedd arogl ei bara. Pe bai Emily a Lizzie yma hefyd, byddai'r tŷ hwn yn lle delfrydol i aros.

Clywsant gloch yn canu yn y stryd, a chododd y gogyddes ychydig o jygiau. 'Dyma Betsi Gloff nawr.'

Dilynodd Jim hi allan i'r hewl ac i fyny'r grisiau. Roedd Betsi Gloff yn arwain ceffyl heglog o dŷ i dŷ, ac yn gwerthu llaeth o stên oddi ar y gert.

'Mae'r bachgen 'ma,' meddai'r gogyddes, gan wthio Jim ymlaen, 'yn chwilio am Rosie, ac os odw i'n iawn, mae hi'n ffrind i chi, Betsi.'

Grwgnachodd y fenyw laeth a gwthio'i gwallt o dan ei chap. Cododd laeth i jygiau'r gogyddes, ei hanadl yn araf a llafurus.

'Mae hi wedi gweld dyddiau gwell, Rosie Edwards,' meddai hithau. 'Roedd swydd fach dda ganddi fan hyn, a nawr ma hi'n gwerthu cocos i'w thad-cu. Dim ond o achos cwpwl o blant y stryd.'

'Chwiorydd y crwt 'ma o'n nhw,' meddai'r gogyddes, a gosododd Betsi'r jygiau i lawr a gwthio'i gwallt i'w chap eto.

'O'n nhw nawr? Dyw e ddim yn iawn, odi fe?' aeth yn ei blaen. 'Dim ond oherwydd ei bod hi wedi helpu pobl fel'ny. Dy chwiorydd di, ife? Doedden nhw ddim yn edrych fel plant y stryd i mi.' Dihangodd ei gwallt o'i chap unwaith eto wrth iddi ysgwyd ei phen, a chwympodd ei blew hir, llwyd i'r llaeth wrth iddi blygu dros y stên. 'Roedd hi'n fenyw dda, dy fam, yn ôl Rosie.'

Doedd Jim ddim yn gallu edrych arni. Estynnodd i fwytho pen esgyrnog y ceffyl a gweryrodd hwnnw a dangos ei ddannedd, gan godi ofn arno. 'Beth ddigwyddodd i Emily a Lizzie?' Allai e ddim edrych ar Betsi Gloff. Ofnai beth fyddai ei hateb hi.

Symudodd hithau ei phwysau o un goes i'r llall. 'Paid â gofyn hynny i mi, achos dwi ddim yn gwybod beth yw'r ateb,' meddai. 'Ond os wyt ti eisiau dringo lan fan hyn i'r gert, fe a i â thi i weld Rosie. Ond ble mae'r merched erbyn hyn, sai'n gwybod, a dyna'r gwir i ti.'

Dringodd Jim i'r gert yn drafferthus; roedd hi'n llithrig ac yn gwynto o laeth sur. Dywedodd y gogyddes rywbeth wrth y ferch oedd yn pwyso yn erbyn y rheiliau, a rhedodd hithau lawr y grisiau i'r gegin. Daeth hi'n ôl gyda thorth fechan yn ei dwylo. Pasiodd honno i Jim, gan chwerthin wrth iddo synnu at yr anrheg. Roedd y dorth yn dwym o hyd. Ceisiodd ddiolch i'r gogyddes gydag winc ond trodd hithau i ffwrdd.

'Paid â dod nôl ar unrhyw gyfrif,' meddai. 'Does dim byd arall y gallwn ni ei wneud drosot ti.' Roedd ei llais yn crynu. 'Pob bendith arnat ti, 'mhlentyn i.' Ac yna dihangodd, heb edrych nôl arno.

Treuliodd Jim y bore'n bownsio o ochr i ochr ar y gert, yn neidio i lawr o dro i dro er mwyn helpu Betsi i dynnu'r ceffyl trwy eira trwchus.

'Dyma fy iard i,' meddai Betsi'n swrth wrtho unwaith. 'A dyma fy ngwartheg i. Wyt ti'n gallu eu clywed nhw'n siarad â'i gilydd? Fel hen ddynion mewn tafarn, yn llawn gwynt a doethineb. Nawr 'te, dyma lle mae fy rownd i'n gorffen, ond os odi Albert fan hyn yn fodlon, ewn ni lawr at yr afon.'

Neidiodd Jim i lawr o'r gert eto a thynnu ar ffrwyn Albert gyda Betsi er mwyn ei dywys heibio i'r iard a mwmial y gwartheg.

'Dere i mi gael gwynto dy dorth di, Jim,' meddai Betsi. Roedd e wedi bwyta ychydig o grystyn y dorth yn barod, ac roedd e'n awyddus iawn i gadw'r gweddill ar gyfer ei brydau bwyd nesaf. Estynnodd Betsi amdani, a chnoi darn enfawr allan ohoni, ei dannedd rhydd yn plygu 'mlaen wrth iddi wneud hynny.

'Druan â'r hen Rosie Edwards,' ochneidiai Betsi dro ar ôl tro. 'Druan â Rosie.'

Roedden nhw'n agosáu at yr afon. Gallai Jim ei harogli, a chlywai'r gwylanod yn sgrechian uwchben y dŵr. Roedd pennau ac esgyrn pysgod ym mhobman hyd y stryd nawr, ac eisteddai'r menywod ar focsys yn clebran wrth iddyn nhw fynd ati i ddiberfeddu'r pysgod. Roedd eu dwylo'n goch a llithrig, a cherddai cathod a phlant o'u cwmpas yn llechwraidd. Aeth menyw laeth â'i stenau llaeth yn pwyso ar ei hysgwyddau heibio iddynt, gan weiddi rhywbeth ar Betsi. Stopiodd Betsi'r ceffyl yn stond.

'Fe fydd honna'n fy niberfeddu i,' meddai, 'os yw hi'n meddwl 'mod i'n gwerthu llaeth ar ei phatshyn hi. Cer di i lawr nawr, Jim bach, a gofyn i rywun os odyn nhw'n gwybod ble mae Rosie Edwards yn byw. Bydd rhywun yma'n siŵr o'i 'nabod hi.'

Llithrodd Jim lawr o'r gert a gwylio Betsi Gloff yn troi ei cheffyl cyn hercio nôl i fyny'r stryd.

'Fe allwn i aros gyda hi,' meddyliodd, 'os nad ydw i'n dod o hyd i Rosie. Gallwn i odro ei gwartheg hi a chario'r stenau iddi. Fe allwn i gael cartref gyda hi.'

Dechreuodd redeg ar ei hôl. 'Betsi …' gwaeddodd, ond chlywodd hi mohono. Roedd hi a'r fenyw laeth iau yn gweiddi ar ei gilydd ar draws y stryd, tra cerddai'r ceffyl herciog yn llafurus ar hyd yr hewl fwdlyd, â'i drwyn yn synhwyro ymhlith y pennau pysgod.

Rhedodd Jim i lawr y stryd gefn. Roedd y tai yn cefnu at yr afon ac roedd cychod yn eu hiardiau, y mastiau'n symud yn araf yng ngwynt ysgafn y bore ac yn tincial. Roedd dynion yn gwthio eu cychod yn araf at ymyl yr afon, gan weiddi ar ei gilydd a'u lleisiau'n bownsio oddi ar yr adeiladau ac yn atseinio dros y dŵr. Roedd rhai menywod yn sefyll, â'u dwylo ar eu cluniau, yn eu gwylio.

Doedd Jim ddim yn cofio sut yr edrychai Rosie. Yn ei feddwl, gwelai fenyw fawr a blawd ar ei dwylo, ei gwallt yn gymen dan ei chap a'i ffedog yn glaerwyn dros ei ffrog ddu, hir. Doedd neb tebyg yma. Roedd y menywod yma'n gwisgo siolau di-liw dros eu pennau a'u hysgwyddau, a ffrogiau brethyn blêr. Ceisiodd wrando ar eu lleisiau, i weld a allai adnabod un ohonynt, ond roedd pob un yn swnio'r un fath, yn cystadlu â sŵn y cychod a sgrechiadau'r gwylanod.

O'r diwedd, mentrodd ofyn i rywun ble roedd Rosie Edwards yn byw.

'Os yw hi gartre, ma hi draw yn y bwthyn gwyn acw, ar y gwaelod,' atebodd hi.

Pan gnociodd ar y drws, gwaeddodd llais menyw arno i ddod mewn, a gwyddai ei fod wedi dod o hyd i Rosie.

A dyna ble roedd hi, yn plygu dros le tân yn ceisio annog y fflamau i godi. Roedd weiren gam yn ei llaw, ac ysgadenyn ar hwnnw. Roedd hen fenyw wedi'i lapio mewn siolau brown a llwyd yn eistedd nesaf ati, mewn cadair oedd yn edrych fel bocsys wedi'u rhwymo at ei gilydd. Roedd Rosie'n torri darnau o'r ysgadenyn ac yn bwydo'r hen fenyw â nhw. Edrychodd ar Jim mewn syndod.

‘Ma’r dynion wedi mynd, ’machgen i,’ meddai wrtho.

‘Rosie,’ meddai Jim. Roedd ei lygaid yn llosgi yn y mwg. Rhwbiodd hwy gyda chefn ei ddwylo.

‘Ie, fi yw Rosie,’ atebodd hithau. ‘Ac fe ddwedais wrthot ti …’

‘Dwi wedi dod ynglŷn â Lizzie ac Emily,’ dywedodd. Roedd y mwg fel pe bai yn ei wddf nawr, yn corddi ymhellach ac ymhellach y tu mewn iddo. Roedd yn cael trafferth anadlu. ‘Jim Jarvis ydw i.’

‘Dduw mawr.’ Gollyngodd Rosie’r ysgadenyn i’r tân, lle llosgodd yn swnllyd â fflam las. Rhegodd yr hen fenyw arni.

‘Bachgen bach Annie?’ Syllodd Rosie arno, a’i llaw dros ei cheg.

Nodiodd Jim. Cnôdd gefn ei law er mwyn ceisio cael gwared ar y llosgi yn ei lygaid. Prin y gwelai Rosie. Roedd hi nawr yn siâp brown, aneglur yn cerdded o gwmpas y lle tân tuag ato. Roedd hi’n arogli o wres a physgod. Penliniodd hi er mwyn bod ar yr un lefel ag ef, a rhoddodd ei dwylo ar ei ysgwyddau.

‘Buodd Mam farw. Oesoedd yn ôl,’ dechreuodd Jim.

Tynnodd Rosie Jim tuag ati, gan redeg ei dwylo drwy ei wallt a’i wasgu fel plentyn bach eto, ac am y tro cyntaf ers i Joseff adrodd y newyddion ofnadwy wrtho, gadawodd Jim i’r holl alar a’r siom oedd ynddo ddod i’r wyneb, a dechreuodd feichio crio.

11

Y frân ddu hyll

Eisteddodd Rosie ar y llawr a siglo Jim nes iddo gysgu, yna gosododd ef i lawr yn dyner a mynd allan. Gwthiodd yr hen fenyw ei throed allan a cheisio'i ddeffro, ond roedd e'n rhy bell oddi wrthi iddi ei gyrraedd, felly poerodd ar y tân yn lle hynny.

Aeth Rosie i lawr trwy'r iard at sièd oedd wedi'i hadeiladu dros yr afon. Corddai dŵr budr, drewllyd o gwmpas y sièd. Y tu mewn iddi, roedd pentyrrau o hen raffau a defnydd, ond llwyddodd i wthio'r rheiny o'r neilltu a gwneud gwely o hen sachau. Yna, aeth yn ôl i'r bwthyn a llenwi hambwrdd gyda'r cocos a'r llyswennod y bwriadai eu gwerthu ger y siopau, cyn rhuthro mas. Pe byddai Jim yn dihuno, gwyddai na fyddai'n crwydro ymhell, ac roedd hi'n gwybod hefyd na feiddiai hithau golli siopwyr y bore.

Tynnodd yr hen fam-gu ei chadair focsys yn nes at Jim, ac o'r diwedd llwyddodd i'w gicio a'i ddihuno. Eisteddodd i fyny'n araf, wedi drysu o ganfod ei hunan yn yr ystafell fyglyd hon gyda hen fenyw ddiddannedd yn syllu i lawr arno. Yna cofiodd lle roedd e. Roedd e ym mwthyn Rosie, ac roedd e'n ddiogel.

Gwthiodd yr hen fenyw ef gyda'i throed eto a nodiodd at y dorth ar hanner ei bwyta oedd i'w gweld yn ei boced. Estynnodd ei llaw a thorrodd Jim ddarn o fara a'i ddal tuag ati, yn ofni'r llygaid mawr pefriog a'r geg oedd yn cnoi trwy'r amser. Gwgodd arno, pwnio ei law, ac yna agor ei cheg yn fawr. Torrodd Jim ddarn o'r bara a'i bwydo hi gydag ef, ac fel aderyn barus, cnôdd hithau'r bara ac aros am fwy. Bwydodd Jim hi un darn ar y tro. Weithiau, pan oedd hi'n araf, byddai Jim yn cnoi darn ei hun.

Pan syrthiodd hithau i gysgu, cerddodd Jim allan o'r bwthyn ac aeth i lawr at yr afon. Roedd yr afon mor brysur â marchnad, gyda'r cychod hwylio'n mynd heibio trwy'r niwl, a'r cychod llai yn symud rhwng y glanfeydd. Yn y pellter gallai weld siâp llong stemar fawr, yn bustachu i fyny'r afon. Tybed pa mor hir oedd yr afon, a sut brofiad fyddai bod ar fwrdd un o'r cychod llai, yn codi ac esgyn yn y tonnau y tu ôl i'r stemar?

Pan gyrhaeddodd Rosie adref roedd hi bron yn dywyll eto. Arhosodd Jim y tu allan weddill y dydd, yn ofnus braidd o'r hen fam-gu oedd yn poeri ac yn pigo fel aderyn. Roedd fel pe bai tipyn o bobl yn crwydro i mewn ac allan o'r bwthyn, dynion a bechgyn gan mwyaf, ac o bryd i'w gilydd deuai sŵn dadlau a chweryla o'r adeilad. Roedd yna hen ddyn oedd fel petai'n cyrraedd ac gadael yn aml, a fe oedd yn gyfrifol am y rhan fwyaf o'r gweiddi, p'un a oedd rhywun gydag ef yn y bwthyn ai peidio. Pan nad oedd e'n gweiddi, roedd e'n chwerthin wrth ei hunan, mewn ffordd sych, besychlyd, oedd yn wahanol iawn i chwerthin arferol. Tybed ai tad-cu Rosie oedd hwn, meddyliodd Jim.

Roedd hi'n oer ar lan yr afon, ond doedd Jim ddim eisiau mynd nôl i'r bwthyn. Gwyliodd fechgyn yn chwarae yn yr eira a cheisiodd ymuno â nhw, ond rhedasant i ffwrdd cyn gynted ag y gwelsant ef. Pan welodd Rosie'n cyrraedd o'r diwedd, rhedodd tuag ati. Roedd yr hambwrdd oedd wedi'i glymu dros ei hysgwydd yn hanner gwag. Llusgai ei thraed wrth gerdded.

'Wel, Jim,' meddai, ''sdim amser 'da fi i siarad 'da ti nawr. Mae'n rhaid i fi goginio swper i Tad-cu ac i fy ewythrod, am eu bod nhw'n ddigon caredig i roi to uwch fy mhen i.' Arhosodd wrth y bwthyn. 'A fedra i ddim dy wahodd di i mewn. Byddai Tad-cu'n dy daflu di i'r gwylanod a finne gyda thi pe bai e'n meddwl dy fod ti'n bwriadu aros. Ma gormod ohonon ni. Wyt ti'n deall?'

Syllodd Jim i fyny arni.

'Paid ag edrych arna i fel 'na, Jim,' meddai. 'Dwyt ti ddim yn nabod fy nhad-cu i, neu fyddet ti ddim yn edrych arna i fel 'na. Ond fe ddangosa i i ti lle cei di gysgu heno, os wyt ti'n addo bod yn ofalus.'

Aeth ag ef i lawr at y sièd. 'Fyddi di'n iawn lawr fan hyn?' gofynnodd. 'Mae e'n oer, ac mae e'n drewi'n ofnadwy o'r holl sbwriel sy yn yr afon, ond mae e'n ddigon sych.'

'Dwi'n ei hoffi e,' meddai Jim. 'Galla i esgus 'mod i ar long, Rosie.'

'Wrth gwrs y galli di.' Safodd wrth y drws gan syllu allan dros y dŵr fel pe bai heb ei weld o'r blaen, ei llygaid yn culhau. 'Mi fyddet ti'n hoffi hwylio i ffwrdd, yn byddet ti, Jim? Dwi'n gwybod yr hoffwn i wneud hynny. Hwylio'n bell i ffwrdd i rywle. Bydde unrhyw le yn well na fan hyn. Bydde boddi'n well na fan hyn.' Trodd yn gyflym. 'Gwna di dy hun yn gyfforddus, ac fe ddo i â thamed o bysgod i ti wedyn.'

Gallai Jim glywed gweiddi'n dod o'r bwthyn wedi i

Rosie ddychwelyd yno. Gallai glywed yr hen fenyw'n udo am fwyd, a'r tad-cu'n pesychu. Doedd neb yn siarad yn dawel. Deuai sŵn gweiddi a chweryla o bob un o'r holl ddrysau a ffenestri ar hyd y glanfeydd. Meddyliodd Jim am dawelwch y wardiau yn y wyrcws, a meddyliodd tybed a oedd Tip wedi cysgu eto, a thybed a oedd ganddo hiraeth amdano.

Yn nes ymlaen, daeth Rosie â physgod poeth, te a bara a channwyll i Jim. Roedd Jim wedi bod yn gorwedd ar ei fol, yn gwylio goleuadau'r cychod yn disgleirio fel llygaid gloyw ar y dŵr, fel pe baent yn anifeiliaid yn nofio yno. Plygodd i lawr a swatiodd yn y sachau.

'Paid byth â gadael i Tad-cu amau dy fod ti mewn yn fan hyn. Iawn?'

'Iawn.'

''Na fachgen da. Fe af i'n ôl i mewn yn y man, i edrych ar ôl yr hen fenyw.'

'Ma hi fel aderyn y to,' meddai Jim.

Chwarddodd Rosie. 'Mae hi'n debycach i frân. Wyt ti wedi gweld brain, Jim? Hen bethau swnllyd, barus. Dyna shwt un yw Mam-gu, unwaith bydd hi'n dechrau. Hen frân yn poeri. Weithiau dwi'n credu y bydde hi'n cnoi fy llaw i ffwrdd pe bydde hi'n ddigon llwglyd.'

'Rosie,' gofynnodd Jim. 'Alla i aros fan hyn?'

Cododd hi'r gannwyll er mwyn ei weld yn iawn. 'Aros fan hyn? Dwi ddim yn gwybod am faint y bydda i'n aros fan hyn fy hunan.'

'Allwch chi ddim mynd nôl i dŷ'r Meistr?'

'Mi fyddwn i'n hoffi hynny! Ro'n i'n gyfforddus iawn fyn'na. Ro'n i'n lwcus iawn i gael y swydd honno. Dim ond achos bod Betsi Gloff wedi siarad ar fy rhan i y ces i'r gwaith 'na. Ond 'sdim ots. Fe golles i'r gwaith, a dyna ni.'

'Golloch chi'r gwaith o achos Lizzie ac Emily?'

Roedd Rosie'n dawel am ychydig. Yna dywedodd, 'Naddo siŵr. Beth wnaeth i ti feddwl hynny, Jim? Golles i'r swydd achos bod fy nghoginio i mor wael! Dim ond pysgod ydw i wedi'u coginio erioed. Ac ro'n nhw eisiau i fi bobi bara. Bara! Ro'dd fy mara i'n torri'r teils os o'n i'n digwydd ei ollwng e ar lawr!'

Gwenodd Jim wrtho'i hunan yn y tywyllwch. Roedd e newydd brofi ychydig o fara Rosie, ac roedd hi'n iawn.

'Ond beth am Emily a Lizzie? Aethon nhw ddim i'r wyrcws, do fe?'

Chwythodd Rosie ei thrwyn ar ei ffedog bysgodlyd. 'I'r wyrcws? Emily a Lizzie? Mi fyddwn i wedi ymladd yn eu herbyn nhw i gyd, gan gynnwys y Meistr ei hunan, pe bydden nhw wedi gwneud 'ny. Na, mi ddweda i wrthot ti beth ddigwyddodd i Emily a Lizzie. Cau dy lygaid, ac mi ddweda i wrthot ti.'

Gwrandawodd Jim yn dawel wrth i Rosie ddweud wrtho am fenyw â llygaid llwyd oedd wedi dod i ymweld â'r tŷ. Fe ddaeth hi i lawr i'r gegin i weld y ddwy ferch drosti ei hun. 'Aeth hi â nhw lan stâr, a'u golchi nhw yn ei hystafell ymolchi ei hunan. Yna, danfonodd am ffrogiau iddyn nhw, un las i Emily, ac un wen i Lizzie. Wedyn aeth hi â nhw i ffwrdd mewn coets wedi'i thynnu gan bedwar ceffyl gwyn. Mi ddylet ti fod wedi'u gweld nhw, fel tywysogesau bach! Aethon nhw'r holl ffordd i'r wlad, i gartref y fenyw, iddi gael gofalu amdanyn nhw yno.'

Tynnodd Rosie'r sachau o'i amgylch a chripiodd

allan o'r sièd ac yn ôl i'r bwthyn swnllyd. Gorweddodd Jim yno am amser maith, yn gwrando ar ddŵr yr afon yn llepian yn erbyn y sièd, ac yn meddwl am y stori yr oedd Rosie newydd ei hadrodd wrtho. Gobeithiai ei bod yn wir.

12

Cochyn

Fore trannoeth dywedodd Rosie wrth Jim y byddai'n rhaid iddo ei helpu os oedd hi am lwyddo i'w fwydo. Clymodd hen sach dros ei ysgwyddau, er mwyn cuddio'r dillad wyrcws, rhag i'r heddlu sylwi arno.

'Bydd yn rhaid i ti gario 'mlân i symud, Jim, 'run fath â fi,' rhybuddiodd. 'Os bydd y plismyn yn fy ngweld i'n sefyll yn stond fe ga i fy nanfon i ffwrdd hefyd. Mi fyddwn ni'n dau yn rhedeg trwy'r dydd.'

Roedd Jim yn hoffi gweithio iddi hi. Pan fyddai ei llais hi'n blino, byddai Jim yn gweiddi drosti. 'Cocos! Samwn ar werth! Pysgod wedi'u piclo!' Dawnsiai wrth weiddi, yn rhannol i gadw'i hun yn gynnes, ac yn rhannol er mwyn gallu gwylio i bob cyfeiriad am heddlu. Roedd ganddo ffordd ddireidus o ddawnsio a byddai pobl yn aml yn stopio i'w wylio ar eu ffordd i'r siopau a'r swyddfeydd. Daethant i'w adnabod yn gyflym.

'Dawnsia i ni, Jim!' byddent yn gweiddi, yn enwedig pan fyddai e'n sefyll ar ei ben ei hun.

'Prynwch gocos ac fe wna i!' atebai Jim, a byddai Rosie'n cyrraedd gyda'i hambwrdd o fwyd môr ac yn eu perswadio i brynu rhywbeth. Tra oedden nhw'n bwyta byddai Jim yn dawnsio, a byddai'n cau ei lygaid, ac yn cau'r stryd a phob wyneb dieithr allan o'i feddwl.

Amser maith yn ôl roedd ei dad wedi dawnsio iddo

yn eu bwthyn. Gallai gofio wynebau Lizzie ac Emily'n chwerthin wrth eistedd ar y fainc wrth y tân. Roedd e'n fachgen bach iawn bryd hynny. Cofiai glapio'i ddwylo a gweiddi ar ei dad wrth iddo ddawnsio, a phan oedd ei dad yn dawnsio'n gyflymach roedd fflamau'r tân wedi neidio'n fwy gwyllt hefyd, fel ysbrydion melyn, cynddeiriog. 'Cyflymach Dad! Cyflymach!' gwaeddai'r plant, a byddai'r cysgod hir, du a ymestynnai o draed ei dad yn tyfu'n siâp gwallgof ar waliau'r bwthyn. Neidiai Jim i lawr a rhedai i wneud dawns sgipio gyda'i dad, ac yna byddai ei dad yn ei godi ar ei ysgwyddau nes ei fod yn cyffwrdd â thrawstiau'r bwthyn. Roedd Jim yno eto, yn yr ystafell honno, wrth i bobl y stryd ei wylio wrth iddynt fwyta bwyd môr Rosie yn yr oerfel.

'Dwi'n blês iawn gyda ti, Jim y dawnsiwr,' meddai Rosie, gan darfu ar ei freuddwyd. 'Dwi'n gwerthu mwy o samwn nag y galla i ei biclo'r dyddiau hyn. Bydd yn rhaid i'r cwsmeriaid ei gael e wedi'i ferwi os y'n nhw eisiau rhagor!'

Roedd Jim wedi bod yn aros gyda Rosie ers rhai dyddiau pan welodd y doctor. Roedd Rosie ac yntau'n cerdded nôl i'r bwthyn un prynhawn pan glywsant lais yn galw o'r tu ôl iddynt. 'Rosie! Rosie Edwards!' Troesant a gweld Betsi Gloff yn hercian ar eu holau, yn dal ei sgertiau i fyny wrth iddi frysio trwy'r mwd.

'Dwi 'di bod yn poeni am y crwt 'na,' anadlodd Betsi'n drwm. 'P'un a oedd e wedi dod o hyd i ti, ac a oeddet ti'n gallu cynnig cartre iddo fe, a shwt o'dd e'n dod 'mlân.'

'Mae e'n iawn,' chwarddodd Rosie. 'Mae e'n dipyn o ddawnsiwr, on'd wyt ti Jim bach? Ond all e ddim aros 'da fi'n rhy hir, mae e'n gwybod 'ny. Dwi'n ofni y bydd Tad-cu'n dod o hyd iddo fe ac yn ein taflu ni'n dau mas. Rwyt ti'n gwybod shwt un yw e, Betsi.'

Gwthiodd Betsi ei gwallt yn ôl i'w chap. 'Wel, ma syniad 'da fi!' Cododd ei llaw, oedd yn dew a phinc gyda'r oerfel. 'Dere di 'da fi, Jim bach. Dwi am fynd â thi i'r ysgol!'

Llamodd stumog Jim mewn ofn. 'Dwi'n casáu'r ysgol!' gwaeddodd. 'Dwi'n casáu athrawon!' Ceisiodd dynnu ei hun yn rhydd o law Betsi.

'Dim athro yw e, Jim. Doctor yw e, maen nhw'n dweud. Ac mae ysgol 'da fe ar gyfer plant fel ti, Jim. Hen un od yw e, maen nhw'n dweud, ac mae e'n sefyll ar focs yng nghanol y stryd yn gofyn i bobl ddod â'u plant i'w ysgol e, a dyw e ddim yn codi dim ceiniog arnyn nhw!' Stopiodd i gymryd anadl, gan fwrw ei brest gyda'i dwrn. Daliodd ei llaw mas i Jim eto. 'Dere 'mlân Jim! Mae e'n gyfle da i ti!'

Teimlodd Jim ddagrau'n dod i'w lygaid. 'Plîs, paid â gwneud i fi fynd! Paid â hala fi i'r ysgol!'

Ond gwthiodd Rosie e'n araf at Betsi. 'Dos di gyda hi, Jim,' meddai. 'Mae'n rhywle lle byddi di'n sych a chynnes. Ac mae e am ddim! Fe fydden i wedi hoffi mynd i'r ysgol!'

'Ond well gen i dy helpu di, Rosie!' gwaeddodd Jim, ond roedd Rosie'n brysio oddi wrthyn nhw.

Tynnodd Betsi Jim gyda hi, gan geisio sibrwd geiriau caredig wrtho rhwng pob anadl drom.

'Fe gei di glywed storïau o'r Beibl, feddyliwn i, a chanu emynau pert. Dwi ddim eisiau i ti fynd i drafferthion, Jim, dim ond achos bod 'da ti ddim mam na thad i ofalu amdanat ti. Edrych ar y dyrfa 'na! Fe sy 'na nawr, yn siarad.'

Gwthiodd Betsi Jim i flaen y dyrfa. Roedd dyn tenau gyda gwallt syth a sbectol yn sefyll ar focs, yn troi o ochr i ochr. Siaradai mewn llais ysgafn, meddal gydag acen Wyddelig nad oedd Jim yn ei deall. Roedd rhai o'r bobl oedd yn ei wylio'n chwerthin, ac roedd ychydig o fechgyn carpiog yn ei wawdio. Doedd y dyn ddim fel pe bai yn eu clywed, a pharhaodd i siarad yn ei lais caredig. Ymdrechodd Jim i glywed beth oedd e'n ei ddweud, ac yna clywodd y geiriau roedd e'n eu hofni. Roedd e fel pe bai e wedi'i lusgo gerfydd ei goler i'r ystafell ddosbarth hir, gyda Mr Prydderch yn torri'r awyr gyda'i raff.

'Duw cariad yw,' meddai'r doctor. 'Mae Duw'n dda.'

'Nagyw ddim!' gwaeddodd Jim. 'Dyw e ddim yn dda wrtho i!'

Dechreuodd pawb weiddi a chwerthin yn uchel. Plygodd un o'r bechgyn yn y gornel a chasglu llond llaw o fwd oddi ar lawr ac yna ei daflu at y doctor. Glaniodd y mwd wrth ei geg, gan ei atal rhag dweud ei eiriau nesaf. Pesychodd y doctor a sychu ei geg gyda'i lewys. Gwthiwyd ef oddi ar y bocs. Stryffaglodd drwy'r dyrfa, gan geisio cadw'i het ar ei ben. Wrth iddo basio Jim, edrychodd arno am eiliad, ac nid casineb na dialedd welodd Jim yn ei lygaid, ond tristwch.

Trodd Jim i ffwrdd. Roedd Betsi'n sychu ei llygaid ar ei llewys. 'Dos 'te!' chwarddodd. 'Dos nôl at Rosie, y dihiryn! 'Sdim llawer dwyt ti ddim yn ei wybod!'

Rhedodd Jim trwy'r strydoedd i chwilio am Rosie. Dilynwyd e gan rai o'r bechgyn o'r dyrfa. 'Hei! Jim y dawnsiwr!' gwaeddodd y bechgyn. 'Aros amdanom ni!'

Ond wnaeth Jim ddim stopio tan iddo gyrraedd at

Rosie eto. Rhedodd y bechgyn ato a'u gwynt yn eu dwrn, gan ei fwrw'n ysgafn i ddangos eu bod eisiau bod yn ffrindiau.

'Dere 'mlân, Jim bach. Dawnsia i ni!' gwaeddodd y bechgyn, gan sefyll yno yn eu dillad carpiog, yn ceisio cadw'n gynnes, tra neidiai Jim o gwmpas er mwyn gwneud iddyn nhw chwerthin.

'Mi fyddi di wedi rhacso'r sgidiau 'na mewn dim o dro,' rhybuddiodd Rosie. 'Cadwa dy sgidiau dawnsio ar gyfer y bobl sy'n talu.'

Ond roedd Jim eisiau dawnsio i'r bechgyn. Doedden nhw ddim yn chwerthin yn aml. Doedd dim llawer i chwerthin yn ei gylch, ac roedd e wastad yn rhy swil i siarad â nhw. Ond ar ôl y diwrnod hwnnw pan halodd e bawb i chwerthin am ben y doctor, daethant i'w wylio'n dawnsio yn y strydoedd yn aml.

Roedd un ohonyn nhw'n fachgen tenau a chanddo wallt coch. Roedd yn atgoffa Jim o Tip mewn rhyw ffordd. Roedd ei wallt yn anniben ac yn gwthio trwy'r tyllau yn ei gap. Roedd bysedd ei draed yn edrych fel corgimychiaid bach ar flaenau ei esgidiau a hongiai ei grys gwyn oddi ar ei freichiau esgyrnog fel hwyliau llong oddi ar y mastiau. Gwnâi ychydig o fywoliaeth wrth werthu careiau esgidiau.

'Careiau, syr,' gwaeddai ar bobl yn pasio, gan chwifio'r careiau uwch ei ben fel pe bai'n gwerthu rubanau mewn ffair. 'Tri am bris dau! Dy'ch chi ddim eisiau tri, syr? Wel, dau am bris tri, 'te. Chewch chi ddim cynnig gwell na 'ny, na chewch chi?'

Tra oedd Jim yn dawnsio, byddai'r bachgen yn eistedd yn gegagored fel pe bai'n ofni chwerthin yn uchel. Roedd ei lygaid wastad yn effro, yn chwilio am gwsmeriaid posib, neu am yr heddlu, neu am rywbeth y medrai ei ddwyn. Yna, byddai'n neidio i fyny a rhuthro heibio i stondin tra bod y perchennog wedi troi ei gefn, a byddai'n bachu darn o gaws, ochr pastai neu fara cyn rhedeg i gornel dywyll a llyncu popeth mewn chwinciad. Doedd Jim ddim yn credu ei fod hyd yn oed yn cnoi'r bwyd, roedd popeth yn diflannu mor gyflym.

Pe byddai'r stondinwyr yn ei weld yn dwyn byddent fel arfer yn rhegi arno neu'n rhedeg ar ei ôl, ond weithiau roedden nhw'n ei weld yn dod, ac yn troi'r ffordd arall. Wrth iddo ei wylio, feddyliodd Jim erioed y byddai ef, ryw ddiwrnod, yn gwneud hyn, ac yn ddiolchgar am bob briwsionyn i'w gadw'n fyw.

Roedd Jim yn hoff o'r bachgen hwn. Unwaith neu ddwy, aeth draw ato er mwyn cael gair gydag ef, ond byddai'r bachgen yn rhedeg i ffwrdd cyn iddo gael cyfle i ddweud dim, fel pe bai newydd gofio bod ganddo waith i'w wneud. Byddai Jim yn teimlo'n lletchwith wedyn, a byddai'n esgus chwilio ar y llawr am rywbeth roedd y bachgen wedi'i ollwng. Ond bob diwrnod meddyliai, 'Fe siarada i gyda fe heddiw. Mi gaf i wybod beth yw ei enw fe heddiw.'

Un noson, wrth iddi dywyllu, roedd y bachgen yn gwylio Jim yn ei ffordd nerfus arferol pan gerddodd menyw garpiog ato o'r tu ôl iddo, a gosod ei dwylo garw ar ei ysgwyddau a'i ysgwyd.

'Dyna fi wedi dy ddal di!' dywedodd. 'Rwyt ti wedi bod yn cwato, on'd wyt ti?'

Neidiodd y bachgen ar ei draed, gan geisio dianc, ond gwthiodd hi e i'r llawr a'i ddal yno gyda'i phen-glin ar ei frest. Roedd ei gwallt mor wyllt a choch â'i wallt yntau, ac roedd ei llais yn dew ac aneglur.

'Ble ma dy arian di?' mynnodd.

''Sdim 'da fi,' atebodd yntau.

Trodd hi e wyneb i waered fel pe bai'n ddoli; teimlodd yn ei bocedi cefn a dal ychydig o geiniogau yn ei wyneb. ''Sdim 'da ti nawr,' chwarddodd, a chyn iddo fedru codi, roedd hi wedi mynd.

Roedd Jim wedi bod yn cyrcydu ar yr ochr draw i'r hewl, yn gwylio'r cwbl. Gwelodd y bachgen ef yn edrych a throdd i ffwrdd, a rhoi ei ben yn ei ddwylo. Arhosodd yn ei gwman, yn union fel roedd y fenyw wedi'i adael. Safodd Jim a chlicio'i fysedd er mwyn gwneud i'r bachgen edrych arno. Yna dechreuodd ddawnsio ychydig gamau. 'Chwertha,' roedd e eisiau ei ddweud wrtho, ond fentrodd e ddim. 'Mae'n iawn. Chwertha.'

Roedd fel pe bai'r bachgen wedi penderfynu hoffi Jim y munud hwnnw. Neidiodd ar ei draed ac ymuno â Jim yn y ddawns, gan gicio'i goesau a dynwared symudiadau Jim. Cododd ei freichiau'n uchel, nes bod y careiau yn chwifio fel rubanau o'i amgylch. Neidiai bysedd ei draed fel corgimychiaid bach trwy wadnau llac ei esgidiau, a chyda phob cam roedd e'n gwasgu ei droed yn galed ar y llawr, mor galed nes bod y mwd yn tasgu o'i amgylch fel pryfed ar fuwch. Dawnsiai gyda'i lygaid ar gau a'i geg yn llydan agored, fel mewn perlewyg, a pho fwya y clapiai'r gwylwyr o'i amgylch, cyflyma i gyd yr oedd e'n dawnsio. Chwarddai Jim gymaint fel nad oedd e'n gallu dawnsio, ac roedd yn rhaid i Rosie wenu hefyd. Gwerthodd y rhan fwyaf o'r pysgod o'i hambwrdd i un teulu.

'Dyma ti,' dywedodd. 'Cochyn, neu beth bynnag yw dy enw di. A tithau, Jim bach. Gewch chi orffen y rhain i mi – dwi'n mynd nôl i'r bwthyn i nôl rhagor. Werthais i 'rioed ddau hambwrdd cyfan fel'ny o'r blaen. 'Rioed. Mi ddylai'r ddau ohonoch chi fynd i'r sioeau. Dylech chi fynd i'r syrcas!'

Eisteddodd y ddau ohonyn nhw nesaf at ei gilydd, wrth dân y gwyliwr nos, gan dynnu plisgyn y corgimychiaid gyda'u dannedd, a'u poeri i'r fflamau.

'Dwi'n hoff iawn o gorgimychiaid,' meddai'r bachgen. 'Ond wnes i 'rioed ddwyn unrhyw beth oddi ar stondin Rosie, naddo 'rioed.'

'Fyddet ti byth yn mentro gwneud,' meddai Jim. 'Mi fydde hi'n dy biclo di!'

'Fi – fe fydden i'n mentro gwneud unrhyw beth,' meddai'r bachgen. 'Ond mae Rosie fel fi. Does ganddi ddim ceiniog i'w henw, fel fi.'

'Ife Cochyn yw dy enw di go iawn?' gofynnodd Jim iddo.

Cododd y bachgen ei ysgwyddau. 'Dyna beth maen nhw'n fy ngalw i, ac mae'n gwneud y tro i mi.'

'Swnio'n enw rhyfedd iawn i mi,' meddai Jim. 'Pwy oedd y fenyw 'na?'

Culhaodd llygaid y bachgen. 'Mam oedd honna,' meddai. 'Ond fe daflodd hi fi mas flynyddoedd yn ôl. Dyw hi ond yn dod i edrych amdana i nawr pan fydd hi mo'yn arian ar gyfer y jin. Dyw hi ddim yn fam dda iawn.'

'Ble wyt ti'n byw 'te?'

'Mae'n dibynnu, on'd yw e? Ti'n gweld, os gwna i geiniog neu ddwy yn gwerthu careiau, dwi'n ei wario ar aros mewn tŷ lojin.'

'Beth? Ar ben dy hunan?'

'Ar ben fy hunan a rhyw bum deg person arall sy'n

chwyrnu nerth esgyrn eu pen trwy'r nos. Mae hi mor swnllyd â storm daranau weithiau. Ac os nad oes arian 'da fi,' meddai, gan godi'i ysgwyddau, 'dwi'n cysgu ble galla i, on'd ydw i? Dwi'n cysgu'n unrhyw le nad yw'r heddlu yn gallu fy ffeindio i.' Pwyntiodd ei fys bawd draw at siaced Jim, ble roedd y sach wedi cwympo oddi ar ei ysgwyddau. 'Bues i am wythnos yn y lle 'na. Waeth nag unrhyw le y gwn i amdano, y wyrcws 'na. Waeth na chysgu mewn sgubor llawn llygod mawr, a dwi 'di gwneud 'ny ambell waith o'r blaen.'

'Waeth na 'ny,' cytunodd Jim. 'Mae'n waeth na chysgu mewn sach llawn llyswennod.'

Dechreuodd y ddau fachgen bwffian chwerthin.

'Llyswennod!' meddai Cochyn gan grynu. 'Hen bethau bach cas iawn yw llyswennod. Fwytes i un unwaith, pan oedd hi'n dal yn fyw. Llithrodd hi'r holl ffordd lawr fy ngwddw i, rownd fy mola i a mas eto trwy 'ngheg i! "Bola," meddai'r llysywen, "mae bola'r bachgen bach yma'n waeth na'r wyrcws!" A bant â hi am adre. Roedd y llysywen honno'n eitha neis.' Sychodd ei geg gyda chefn ei law ac edrychodd ar Jim trwy gil ei lygaid. 'O's brawd 'da ti, Jim y Dawnsiwr?'

'Nagoes,' atebodd Jim. 'O's un 'da ti?'

'Roedd gen i un unwaith. Ond 'sdim un 'da fi nawr.' Gwasgodd Cochyn flaen ei sodlau i'r mwd. ''Sen i'n hoffi cael brawd i gerdded o gwmpas 'da fe.'

'A finne,' atebodd Jim.

Syllodd y ddau fachgen yn syth ymlaen, gan gadw'n dawel. Gwthiodd y gwyliwr nos ddarn o bren i'r tân. Cododd ar ei draed yn araf. 'Pump o'r gloch,' gwaeddodd, a cherdded yn drwsgl i gynnau'r lampau rhwng y tai. 'Pump o'r gloch, bobol!'

'Rhaid i fi fynd,' meddai Cochyn. 'Rhaid i fi fynd i ddelio gyda'r ciw 'ma. Mae pobl yn torri'u careiau yn aml pan maen nhw'n sefyll mewn ciw. Eu torri nhw'n annisgwyl, ti'n gweld, yn enwedig os bydda i'n eu tynnu nhw pan fydd neb yn edrych.'

'Fyddi di 'ma fory?'

Edrychodd Cochyn lawr ar Jim. Cymerodd ychydig o gareiau o'i boced a'u chwyrlïo o gwmpas ei ben. Yna cododd ei ysgwyddau a rhedeg i ffwrdd.

Y noson honno, wrth i Jim redeg adre yn ôl i'w sièd roedd ei ben yn llawn o syniadau newydd. Roedd digon o le'n hawdd ar gyfer un bachgen bach arall. Mi fyddai'n gynhesach gyda dau ohonyn nhw. Fyddai dim gwahaniaeth gyda Rosie, yn enwedig os byddai Cochyn yn cael ei fwyd yn ei ffordd arferol. 'Mi fydd e fel cael brawd,' meddyliodd wrth redeg. 'Brawd fel Cochyn. Byddai hynny'n neis iawn.'

Mi fyddai tipyn o amser cyn y byddai'n cysgu cystal eto. Tarfwyd ar ei gwsg y noson honno gan sŵn aflafar esgidiau mawr yn stompian a gwich y clo wrth i'r drws gael ei dynnu ar agor. Roedd e fel pe bai rhywun wedi gadael yr afon i mewn i'r sièd. Daliwyd cannwyll wrth ymyl ei wyneb ac agorodd Jim ei lygaid. Safai dau ddyn yno, yn edrych i lawr arno, eu llygaid yn ddau dwll du yng ngolau'r gannwyll, a'u barfau fel gwlân cotwm trwchus. Tad-cu Rosie oedd un ohonyn nhw. Roedd y dyn arall yn sgwâr a chanddo wyneb fel bocs a gwallt yn sgubo ar draws ei dalcen fel to gwellt.

'Y bachgen 'ma wyt ti'n feddwl?' Rhoddodd gic i Jim. Eisteddodd Jim i fyny'n ofnus, gan ddal ei sach o'i gwmpas.

‘Ro’n i’n gwbod ’mod i wedi gweld bachgen yn rhedeg i mewn yma,’ meddai tad-cu Rosie’n wichlyd. ‘Hen lygoden fawr yw e, yn cwato yn fy sièd i. Fe gaf i fe, fel ffured, feddylies i i’n hunan. Fe ddalia i e pan fydd yr amser yn iawn.’

‘Plîs, syr,’ meddai Jim. ‘Sai’n gwneud dim drwg.’

‘Sefa lan,’ meddai’r dyn sgwâr. Roedd ei lygaid yn fawr uwch ei fochau tew, fel lampau’n ymddangos dan y to gwellt.

Stryffaglodd Jim ar ei draed.

‘Brigyn bach main yw e,’ meddai’r dyn sgwâr. ‘’Sdim asgwrn o gwbl arno fe.’

‘Fe dyfith e,’ meddai’r tad-cu. ‘Dwi’n ’nabod y math yma o fachgen. Fe dyfith e’n fawr ac yn gryf. Gelli di ei fagu e fel’ny o’r dechre, Nic. Fydd e ddim trafferth i ti. Mae e’n iawn. A thra bydd e’n ymarfer, fydd e ddim yn bwyta llawer.’

‘Wel, ma fe ’ma, a ma eisie crwt arna i, felly fe gymera i gyda fe,’ mwmialodd Nic.

Ebychodd y tad-cu gyda phleser. Rhoddodd Nic ei law yn ei boced i edrych am arian, a thynnodd geiniog oddi yno. Daliodd yr hen ddyn y geiniog at y gannwyll, gan chwerthin yn dawel.

‘Dere ’mlân grwt,’ meddai Nic. ‘A dere â dy wely. Mi fyddi di eisie hwnna.’

Baglodd Jim ar ei ôl gan dynnu’r sach dros ei ysgwyddau i gadw’n gynnes, a gwichiodd y drws y tu ôl iddo wrth i’r hen ŵr ei gau.

‘Dwedwch wrth Rosie …’ dechreuodd Jim, a throdd Tad-cu a chwyrnu arno.

‘’Sdim eisie i ti ddweud dim wrthi. Fe ddiolcha i iddi, yn fy ffordd fy hun, am iddi ddwyn bwyd o geg ei mam-gu er mwyn dy fwydo di. Dos ’mlân. Cer gyda Nic Seimllyd. Ma cartre ’da ti nawr, a gwaith. ’Sdim angen dim mwy na hynny arnat ti mewn bywyd.’

Cerddodd yn araf nôl tua’r bwthyn, gan chwerthin yn uchel yn ei ffordd besychlyd ei hun, a chan daflu’r geiniog roedd Nic Seimllyd wedi’i rhoi iddo nes bod honno’n sgleinio fel haul bach llachar yn y tywyllwch.

13

Y Lili

Fentrodd Jim ddim gofyn i ble roedd e'n mynd, neu p'un ai a fyddai'n dychwelyd, neu a allai redeg nôl i'r bwthyn i ffarwelio â Rosie. Roedd e'n sicr na fyddai Tad-cu yn dweud dim wrthi. Dychmygai hi'n brysio mas ato yn y bore â chwpanaid o de a darn o'i bara solet, yn tynnu ar glo'r drws ac yn gweiddi ei enw. Dychmygodd weld Cochyn yn chwifio'i gareiau uwch ei ben, yn dawnsio yn y strydoedd hebddo, yn aros amdano. Arafodd yn fwriadol, roedd arno eisiau cuddio yn y tywyllwch a rhedeg i ffwrdd, ond roedd Nic Seimllyd fel pe bai'n gallu darllen ei feddwl, a chydiodd hwnnw'n dynn yn ei goler. Rhedai Jim wrth ochr Nic, gan daflu cipolwg i fyny ato nawr ac yn y man. Ond edrychodd Nic ddim nôl arno, dim ond stompio ymlaen wnaeth e, a'i esgidiau hoelion yn creu gwreichion o dro i dro lle roedd y stryd dan draed yn sych. Arweiniodd ef drwy'r strydoedd cul a thywyll oedd yn gwau eu ffordd nôl a mlaen rhwng y glanfeydd. Sgrialai llygod mawr oddi wrthynt, a byddai cŵn tenau yn deffro o'u cwsg ac yna'n setlo'n ôl eto.

O'r diwedd daethant at warws mawr gyda rhes o gertiau o'i flaen a'r geiriau 'Glo Gorau Cwmni Cadwgan' wedi'u paentio'n wyn gloyw arnynt yn y gwyll. Roedd dyn yno'n arwain ceffyl gwedd allan o sgubor, a chyfarchodd hwnnw Nic yn surbwch.

'Do'n i ddim yn meddwl dy fod ti'n dod rhagor,' meddai, ei lais yn gysglyd a dwfn.

'I'r diawl â thi,' meddai Nic Seimllyd. 'Mi fyddet ti'n meddwl y gwaetha o'r Angel Gabriel, yn byddet?'

Arweiniodd Jim i flaen y warws, lle roedd yr adeilad yn crogi uwchben yr afon, a neidiodd ar ddec cwch oedd wedi'i glymu yno. Roedd blaen sgwâr i'r cwch, ac roedd tua wyth deg troedfedd o hyd. Roedd Jim wedi gweld digon ohonyn nhw'n gweithio'u ffordd yn ôl ac ymlaen ar y llif, wedi'u llwytho â thunelli o nwyddau o'r llongau mawr. Roedd yr enw *Lili* wedi'i baentio ar ei ochr. Gorweddai yn y mwd, yn ddwfn yn y carthion drewllyd oedd ar lan yr afon pan oedd y llanw ar drai.

'Neidia 'mlân,' gorchmynnodd Nic, a neidiodd Jim ar y stanciau uchel oedd yn rhedeg o amgylch y cwch, ac edrych i mewn i'w grombil. Ar hyd un pen roedd y planciau pren a ddefnyddid fel caeadau, ac ar draws y rhain gorweddai rhwyf anferth. Roedd llusern yn hongian ar y rhwyf, ac roedd hwnnw'n taflu golau pŵl i'r howld anferth, a oedd yn llawn glo. Cododd ci mawr, a llygaid melyn ganddo, ar ei bedwar wrth i Jim lamu ar ochr y cwch, a pharatoi i ymosod ar y bachgen. Ysgyrnygodd yn filain, gan ddangos ei ddannedd gwlyb. Camodd Jim yn ôl oddi wrtho. Trodd Nic yn gyflym, gafael yn ei ysgwyddau a'i wthio nes bod ei wyneb yn agos at y ci. Gallai arogli ei anadl sur. Gostyngodd y ci ei glustiau ac udo.

Gollyngodd Nic Jim. 'Nawr ei fod e wedi dy arogli di, fydd e byth yn dy anghofio di,' meddai. 'Byth. Bydd e'n gwybod dy fod ti'n perthyn fan hyn. Wyt ti'n deall?'

'Odw,' sibrydodd Jim.

‘Ac ma hwnna’n golygu,’ meddai Nic, ‘os fentri di redeg i ffwrdd, mi fydd e ar dy ôl di, ac mi fydd e’n siŵr o dy fwyta di’n fyw. Cyflyma redi di, cyflyma redith yntau ar dy ôl di. Ti’n deall?’

Nodiodd Jim eto.

‘Well i ti beidio mentro. Jest gad iddo fe dy flasu di, er mwyn iddo gael ’nabod d’arogl di’n well.’ Gwthiodd fraich Jim i lawr at y ci, a gorchymyn ‘Cno fe!’

Caeodd y ci ei ddannedd am arddwrn Jim. Mi fyddai wedi gwasgu’i ddannedd hyd at yr asgwrn oni bai i Jim sefyll fel delw, er bod pob gewyn yn sgrechian.

‘Gad e!’ meddai Nic, a gorffwysodd y ci yn ôl ar ei gwrcwd eto, gan chwyrnu. Rhwbiodd Jim ei fraich. Roedd y dannedd wedi torri’r croen rhyw ychydig, ac roedd pinnau bach o waed yn ymddangos yno.

‘Ma fe’n ddigon cyfeillgar, ti’n gweld?’ meddai Nic. ‘Dim ond os wyt ti’n gyfeillgar hefo fi. Ti’n deall?’

Nodiodd Jim. Roedd gormod o ofn arno i siarad.

‘Wel, fe fyddwn ni’n ffrindie penna felly,’ meddai Nic. Sythodd, gafael yn ei lusern a’i siglo’n araf o ochr i ochr. Agorodd ffenest yn uchel yn warws Cadwgan ac edrychodd wyneb gwyn i lawr arnyn nhw.

‘Paid â dweud dy fod ti’n barod!’ gwaeddodd yr wyneb gwyn. ‘Os nad aiff y llwyth ’ma mas nawr mi fyddwn wedi colli llanw fory, heb sôn am un heddi!’

‘Dwi’n gwbod hynny,’ gwaeddodd Nic yn ôl. ‘Dwi wedi bod yn hyfforddi fy machgen newydd.’

Diflannodd yr wyneb gwyn ac agorodd drws ger y ffenest. Daeth basged wiail i lawr yn araf ar raffau a winsh, gan wichian wrth ddisgyn. Neidiodd Nic i lawr i’r howld ar ben y glo.

‘Llusern,’ grwgnachodd, a phasiodd Jim y lamp

iddo. 'Wel, dere i mewn, 'te.'

Sgrialodd Jim i lawr ato, ei draed yn llithro ar y lympiau glo wrth iddo lanio. Roedd tu mewn y cwch fel ogof ddu, a'r pentyrrau glo yn disgleirio. Roedd yn drewi o damprwydd a sylffwr. Taflodd Nic raw at Jim. Safodd y fasged ychydig yn uwch na'r howld, a thynnodd Nic yn araf ar y fasged cyn dechrau rhawio glo i mewn iddi, ei gorff yn symud yn rhythmig araf wrth wneud. Gwthiodd Jim y glo yn betrus â'i raw. Roedd yn rhaid iddo godi'r rhaw yn uwch na fe'i hunan er mwyn cyrraedd y fasged, a chwympodd yr ychydig ddarnau glo oddi ar ei raw a'i daro. Gwaeddodd mewn poen, a stopiodd Nic rawio am eiliad. Chwibanodd yn ddirmygus.

'Dere 'mlân!' gwaeddodd.

Tynnodd Jim anadl ddofn, a cheisio llithro ei raw o dan y darnau glo eto, ond taflodd Nic ei raw yntau i'r llawr a dechrau rhegi arno. Rhoddodd glatsien i Jim ar draws cefn ei ben a daeth i sefyll y tu ôl iddo, gan estyn o gwmpas Jim nes bod ei ddwylo'n gafael yn y rhaw ar ben rhai Jim, gan orfodi Jim i symud y rhaw i'r un rhythm rhofio a chodi â Nic. Pan ollyngodd Nic ei afael, roedd dwylo Jim yn llosgi. Ceisiodd Jim ei orau glas i gynnal y rhythm, gan godi dau neu dri darn o lo i bob rhofiad yr oedd Nic yn ei gwneud, gan blygu a chodi, plygu a chodi, plygu a chodi fel pe na bai dim arall i'w wneud yn y cread crwn. O'r diwedd roedd y fasged yn llawn. Gwaeddodd Nic ar yr Wyneb Gwyn a chodwyd y fasged yn araf ar y winsh tuag at dop yr adeilad. Neidiodd Nic i fyny i ochr y cwch, a rhywfodd tynnodd Jim ei hunan ar ei ôl, gan rowlio'n ddigon pell oddi wrth y ci. Roedd y dydd wedi gwawrio, a'r awyr yn llwyd fel plu colomen.

Cododd Nic fwced ac arllwys dŵr ohono i sosban ar ben ffwrn fechan haearn. 'Cer i nôl rhagor,' dywedodd wrth Jim. 'Ma 'na bwmp yn yr iard.'

Wrth i Jim neidio i'r lanfa clywodd Nic yn dweud wrth y ci, 'Edrych ar ei ôl e, Sneip.' Dilynodd y ci Jim, gan drotian y tu ôl i goesau'r bachgen, a'i geg lafoeriog yn dynn wrth sodlau'r bachgen. O gefn y warws gallai Jim glywed taranu'r glo wrth iddo lithro o'r warws i gert oedd yn disgwyl yno. Gostyngwyd y fasged yn araf unwaith eto, i lawr tuag at y *Lili.*

Pwmpiodd Jim ddŵr i'r bwced a rhedeg yn ofalus yn ôl at y cwch, y dŵr yn tasgu dros ei goesau wrth i Sneip wthio'i drwyn yn ei erbyn. Roedd Nic wedi cynnau tân yn y ffwrn ac arllwysodd ychydig o'r dŵr ar ben llwyth o uwd yn y pot.

'Tro hwnna,' gorchmynnodd wrth Jim, 'a phaid â chymryd trwy'r dydd.'

Trodd Jim yr uwd nes i'r gymysgedd ddechrau tewhau, yna gostyngodd ei hunan i'r howld ac ailddechrau ar y gwaith rhofio poenus. Roedd ei stumog yn cwyno eisiau bwyd. Pan oedd y fasgedaid nesaf yn llawn aethant yn ôl i fyny i ddec y cwch, a rhannodd Nic yr uwd i ddwy fowlen. Bwytasant yn gyflym, gan eistedd yn eu cwrcwd ger gwres y ffwrn, a phan ostyngwyd y fasged eto, gadawsant eu bwyd a dychwelyd at eu gwaith.

Treuliwyd gweddill y dydd yn rhofio glo fel hyn. Roedd tunelli ar dunelli ohono. O bryd i'w gilydd byddai'r Wyneb Gwyn yn ymddangos yn y ffenest ac yn gweiddi arnynt fod y gert yn llawn ac y byddai'n rhaid iddynt aros am un arall. Ar yr adegau hyn byddent yn gorwedd ar eu hyd ar ddec y *Lili*, er eu bod yn oer ofnadwy. Cysgai Jim yn syth, a chic gan Nic oedd yn ei ddeffro, hynny neu waedd gan yr Wyneb Gwyn yn rhybuddio bod y fasged ar ei ffordd i lawr unwaith eto. Teimlai fel pe bai ei esgyrn yn caledu wrth iddo gysgu. Prin y gallai benlinio na sefyll, ond roedd arno gymaint o ofn Nic a'r ci llygaid melyn fel y byddai'n sythu'n araf, fel hen ddyn, ac yn hercian yn ôl at y gwaith.

Ymhell wedi iddi dywyllu, gwaeddodd yr Wyneb Gwyn ei fod yn mynd adre, ac y gallent orffen am y diwrnod. Prin y gallai Jim gropian erbyn hynny. Roedd ei ysgwyddau'n glymau tyn, poenus. Rhoddodd Nic datws yn y pot a chynnig ychydig o ddŵr i Jim ei yfed. Llyncodd y dŵr yn ddiolchgar, ei lwnc yn sych grimp oherwydd llwch y glo, ac yna cysgodd eto nes bod y tatws yn barod. Bwytaodd ei daten yn boeth yng nghledr ei law, gan dynnu'r croen gyda'i ddannedd fel roedd Nic yn ei wneud. Roedd yn falch ohoni, ac o wres y tân. Sylwodd fod Nic yn bwyta cig gyda'i daten, a'i fod yn taflu'r gweddillion i Sneip. Dim ond rhyw ddwsin o eiriau roedd e wedi'u dweud wrth Nic trwy'r dydd.

Ar ôl gorffen ei fwyd, torrodd Nic wynt yn uchel a chodi o'r cwch i'r lanfa. Clywodd Jim ef yn cerdded heibio i'r warws ac i fyny'r stryd gefn, a dyfalodd ei fod yn mynd i un o'r tafarndai tu ôl i'r cei. Roedd e'n falch. Cysgu oedd yr unig beth ar ei feddwl nawr. Roedd yna ystafell fechan gyda dwy fainc ynddi, a chymerodd yn ganiataol fod y rhain yno i orwedd arnyn nhw. Tynnodd ei sachau amdano a chwympo i gysgu ar unwaith. Rywfodd, er gwaetha'i drwmgwsg, clywodd Nic yn dychwelyd, yn llawn cwrw a hwyl. Sylwodd arno'n mwytho pen Sneip ac yn cynnig rhagor o gig iddo o'i boced, ond ddaeth e ddim i orwedd ar y fainc arall wrth ochr Jim. Gostyngodd ei hun i howld y llong, ac roedd Jim yn falch o hynny hefyd.

Ymhell i ffwrdd ar wyneb y dŵr clywai sŵn hwteri'r cychod eraill ac, wrth ochr Jim, snwffiai'r ci melyn yn uchel a griddfan.

Pan gysgodd Jim eto breuddwydiodd am ei gartref cyntaf, y bwthyn. Ond y tro hwn, roedd wedi'i wneud o lo. Roedd y waliau a'r lloriau a'r nenfydau'n ddu ac yn ddisglair, ac yn adlewyrchu golau oren y lle tân. O boptu iddo, eisteddai ei fam a'i dad, yn ymestyn eu dwylo dros y tân i'w twymo. Roedd ei fam yn union fel y cofiai hi, yn welw a thawel, ei gwallt tywyll wedi'i dynnu'n ôl oddi ar ei hwyneb. Ond roedd ei dad, gan nad oedd ei wyneb byth i'w weld ym mreuddwydion Jim, yn edrych fel Nic Seimllyd. Roedd bwlch ganddo rhwng ei ddannedd ac roedd ganddo farf gwlân cotwm a gwallt to gwellt llwyd. Roedd ei wyneb yn ddu gan lwch glo, a'i lygaid fel goleuadau pŵl. Yn ei freuddwyd, doedd dim ots gan Jim, oherwydd roedd y bwthyn yn edrych fel cartref go iawn, er ei fod wedi'i wneud o lo. Ac roedd enw gan y tŷ, roedd yn siŵr o hynny. Enw'r tŷ oedd *Lili.*

14

Tafarn y Morwr

Deffrodd Jim cyn Nic Seimllyd. Roedd niwl dros yr afon gyfan ac edrychai fel pe bai'r dŵr yn anadlu cyfrinachau, yn llawn siapiau tywyll, bygythiol. Pan gododd y niwl daeth popeth yn fyw, fel dinas ar ddŵr, strydoedd ar strydoedd o gychod. Yn y pellter, gwelai linyn arian o ddŵr yn diflannu dan fwâu'r bont, a gwyddai fod yr afon yn llifo i'r môr rywle ymhell o'r fan honno. Dychmygodd ddatod cwlwm y *Lili* a llithro i lawr yr afon heibio i'r llongau hwylio mawr oedd yn edrych fel cestyll, ac allan i'r môr mawr.

Pan ddringodd Nic Seimllyd allan o'i dwll tywyll yn yr howld rhegodd ar Jim am ei fod wedi gadael i'r tân yn y ffwrn ddiffodd. 'Gallet ti feddwl bod dim glo 'da ni ar y cwch 'ma, y ffŵl.' Chwarddodd yn uchel ar ei jôc ei hunan, a neidiodd Sneip yn sydyn o'i gwsg. Ceisiodd Jim chwerthin gyda fe.

'Cer i nôl dŵr o'r iard,' chwyrnodd Nic. 'Dechreua'r diwrnod yn y ffordd iawn.'

Pan ddaeth Jim nôl â'i fwced, roedd Nic wrthi'n tostio pysgod ar y tân. Taflodd ddarn i gyfeiriad Jim ac ychydig o bennau pysgod i gyfeiriad y ci. Yna sychodd ei geg gyda chefn ei law a thorri gwynt.

'Gwaith!' meddai wrth Jim. 'Pan fyddwn ni wedi clirio'r cwbl yn fan hyn, ry'n ni'n mynd i nôl rhagor, oddi ar y llongau mawr 'na. Felly paid byth â meddwl bod dy waith di ar ben. Dyw dy waith di byth ar ben. Dim tra bod glo yn y ddaear.'

Fe dreulion nhw'r rhan fwyaf o weddill y diwrnod yn clirio'r glo o'r howld. Teimlai Jim y byddai pob asgwrn yn ei gorff wedi torri cyn iddo orffen, ond cariodd Nic ymlaen i rofio, codi ac arllwys, rhofio, codi ac arllwys, ei gorff yn gysgod grwgnachlyd yng ngolau'r llusern. 'Gweithia!' gwaeddai Nic arno bob tro y teimlai fel gorffwys, ac anelai Nic ei ddwrn ato pe bai'n mentro gorffwys. Ymdrechai Jim yn galed i gadw i fynd, fel Nic. Roedd y chwys yn arllwys ohono fel glaw, yn ei wlychu'n llwyr, a phan fyddai'n rhwbio'i lygaid gyda'i law byddai llwch y glo yn cosi a chrafu. Erbyn diwedd y dydd fedrai Jim ddim gweld i ble roedd e'n codi ac arllwys, a phan godai basgedaid ar y winsh, byddai Jim yn parhau i rofio, yn codi'r glo ac yn ei arllwys i wagle, a byddai Nic yn gweiddi arno am fod mor dwp.

Ond o'r diwedd roedd yr howld yn wag. Aeth Nic i mewn i'r warws i dderbyn ei dâl, a dychwelodd i'r cwch â'r ceiniogau fel clychau bychain yn ei bocedi.

'Sachaid o esgyrn wyt ti i gyd,' meddai wrth Jim, 'ond rwyt ti wedi gweithio. Os wyt ti eisie dysglaid o gawl cig oen fe gei di ddod lan i'r dafarn 'da fi, ac fe sortia i ti mas.'

Roedd Jim mor flinedig fel y byddai'n well ganddo gysgu, ond ystyriai mai canmoliaeth o ryw fath oedd y cynnig. Ni fentrai ei wrthod. Herciodd ar ôl Nic, a cherddodd y ci rhyngddyn nhw, yn edrych ar y ddau yn eu tro gyda'i lygaid melyn, mileinig.

Roedd Tafarn y Morwr yn dywyll a swnllyd. Roedd yno nenfwd du, isel, a lampau'n crogi o'r trawstiau. Roedd y mwg yn dew o'r lle tân yno, ac ychwanegwyd at y mwg gan ddynion a menywod yn ysmygu pibau. Gwthiodd Nic Seimllyd ei ffordd tuag at griw o ddynion, oedd i gyd yn gwisgo bathodynnau metel fel ei un ef i ddangos mai dynion yr afon oedden nhw. Chwibanodd pawb mewn dirmyg pan welsant ef, ond dim ond chwerthin wnaeth e yn ei ffordd uchel a siarp. 'Dyma fy ngwas bach i, Jim bach. Dangos dy fysls iddyn nhw, Jim. Do'dd e ddim yn gwybod bod rhai 'da fe, tan iddo fe ddod i weithio 'da fi.' Mwythodd ben Jim mewn ffordd dadol a dweud wrtho fynd i eistedd ar stôl ger y tân ac i gadw'n dawel.

Gosododd y weinyddes fowlen o gawl poeth o'i flaen, a chwpanaid bach o gwrw. Prin y medrai Jim gadw'i lygaid ar agor nawr. Cyn iddo gyrraedd hanner ffordd roedd sŵn aflafar y lleisiau'n meddalu, a theimlai ei hun yn llithro i'r môr o leisiau llyfn, ond nid môr oedd e erbyn hyn, ond gwely o flancedi mawr esmwyth, ac roedd e'n cael ei suo i gysgu, fel pe bai'n fabi.

Clywodd sŵn rhywbeth yn malu'n deilchion, a dihunodd a'i ganfod ei hunan yn gorwedd ar ei wyneb yng nghanol y blawd llif ar y llawr. Roedd y fowlen gawl yn dipiau mân wrth ei ochr, a'r cawl wedi tasgu i bobman. Cododd Nic ef ar ei ysgwyddau, a'i gario heibio i'r holl wynebau wyneb i waered, aflafar cyn ei osod ar gadair bren yn y tywyllwch y tu allan i'r dafarn, gyda Sneip yn chwyrnu wrth ei draed.

'Aros di yn fan'na,' mwmiodd Nic, a dychwelodd i'r dafarn.

Roedd Jim yn falch o gael bod tu fas, lle roedd yr aer yn oer ar ei fochau. Gallai glywed llais Nic tu mewn i'r dafarn, yn uchel ac ymffrostgar, a'i chwerthiniad cras, annisgwyl. Ymunodd nifer o blant eraill ag ef, pob un ohonynt yn cyrcydu neu'n sefyll mewn rhes dawel, yn aros i'w meistri ddod allan atynt gyda'u tâl neu gydag ychydig o fwyd. Ceisiodd Jim ymddangos yn fwy nag oedd e mewn gwirionedd. Fe oedd yr unig blentyn yno gyda chwpanaid o gwrw yn ei ddwylo, er bod y cwrw'n blasu fel llond llaw o geiniogau. Byddai'n dda ganddo gael gweld ei fowlen gawl eto.

'Wyt ti 'da Nic Seimllyd?' gofynnodd un bachgen. Nodiodd Jim, gan yfed yn gyflym o'i gwpanaid a gwneud wyneb sur wrth wneud.

'A'th crwt d'wetha Nic i'r 'sbyty,' mwmiodd y bachgen. 'Gafodd e grasfa ofnadw.'

'Wnaiff e ddim yr un peth i mi,' meddai Jim, yn llawn dewrder. 'Fe gaiff e glatsien yn ôl gen i.'

Chwarddodd y plant eraill i'w dwylo wrth glywed hyn, gan edrych yn wybodus ar ei gilydd. Ro'n nhw'n edrych yn ddiflas iawn, meddyliodd Jim, gan gymryd llymaid eto o'i gwrw. Cysgai rhai o'r plant gan bwyso yn erbyn ei gilydd wrth iddynt aros. Roedd un grŵp yno wedi'u clymu at ei gilydd, ac fe ddwedon nhw mai criw caeau oedden nhw, a'u bod nhw'n disgwyl i arweinydd y giang ddychwelyd i fynd â nhw i godi maip ar ffermydd. Cawsant eu harwain i ffwrdd o'r diwedd, a fesul tipyn diflannodd y plant eraill hefyd, â'u ceiniogau'n dynn yn eu dwylo. O'r diwedd, daeth Nic â'i dymer ddrwg allan i awyr oer y nos.

'Jim, y cythrel, mae'n amser i ti fynd â fi adre,' gwaeddodd, fel pe bai Jim ddwy filltir i ffwrdd oddi wrtho yn hytrach nag yno wrth ei ochr. Pwysodd yn drwm ar ei ysgwydd, a chyda'i gilydd ymlwybrodd y ddau yn araf nôl at y *Lili*. Llithrodd Nic i lawr i'w wely llychlyd yn yr howld a dechrau chwyrnu ar ei union.

Teimlai Jim fel pe bai ond newydd gwympo i gysgu pan gafodd y gic gan Nic i'w ddihuno. Llwyddodd Nic, ac yntau'n pesychu a dylyfu gên, i'w dynnu ar ei draed.

'Symuda!' gwaeddodd. 'Mae'r llanw'n troi!'

Stryffaglodd Jim i ddeffro, ond yna cyneuodd fflam o gyffro yn ddwfn ynddo. Roedd hi'n bryd iddyn nhw symud i lawr yr afon. O dan ei draed roedd y *Lili*'n siglo'n araf ac ysgafn, fel pe bai hi'n anadlu bron. Rhedodd Jim i'r lanfa i nôl dŵr, a chnociodd Nic ar ddrws bwthyn cyfagos, cyn dychwelyd gyda bara cynnes wedi'i lapio mewn cadach. Erbyn hyn roedd llif cryf yn y dŵr, ac roedd y cwch wedi troi i wynebu lawr yr afon. Taflodd Nic y rhaff ar fwrdd y cwch a neidio ar y dec. Roedd breuddwyd Jim wedi'i gwireddu. Roedden nhw'n anelu am y môr.

15

Ifan

Safai Nic Seimllyd â'i rwyf hir yn cyffwrdd â'r dŵr o bryd i'w gilydd, a thywysodd y *Lili* allan i'r afon. Daeth haid o longau a chychod hwylio bach yn gwmni iddi. Gwaeddai dynion yr afon bob math o enwau ar ei gilydd, a phob dyn am y gorau i gael gwaith cyn y llall. I Jim, roedd y *Lili* fel aderyn dŵr, yn hedfan yn dawel i lawr yr afon frown. Er gwaethaf holl regi Nic, teimlai Jim yn hynod o gyffrous. Edrychodd nôl a gweld y ddinas, gyda'r cwmwl mwg du yn hongian uwch ei phen; gwelodd y pontydd amrywiol, fel breichiau'n ymestyn dros yr afon, a thraffig araf y cychod hwylio fel elyrch duon. Clywai sŵn lap-lapian y dŵr yn erbyn ochrau'r *Lili*, a chlapio cyson rhwyf Nic y tu ôl iddo, a checru'r gwylanod uwchben. Doedd dim, nid holl ddiflastod y flwyddyn a aeth heibio na phoen y deuddydd diwethaf, na hyd yn oed ei ofn o Nic a Sneip, yn gallu pylu'r cyffro roedd Jim yn ei deimlo wrth ddechrau ar ei siwrnai. Roedd hyn yn teimlo fel dechreuad newydd.

O'r diwedd daethant at y man lle roedd y llongau mawr wedi'u hangori. Nesaodd y cwch at long anferth oedd yn cario glo, *Brenhines y Gogledd,* a thynnodd Nic ei rwyf i mewn, a chwibanu'n uchel nes i rywun daflu ysgol raff i lawr ato. Arnofiai'r *Lili* wrth ymyl y llong wrth i Nic ddringo'r ysgol ac esgyn i'w bwrdd. Syllodd Jim ar ei ôl, yn ysu am gael ei ddilyn. Gwaeddodd Nic lawr ato i dynnu'r holl gaeadau oedd ar ddec y cwch. Crogwyd basged llawn glo dros ochr *Brenhines y Gogledd* a gostyngwyd y fasged fesul tipyn. Dringodd Nic yn ei ôl i lawr yr ysgol eto a chwibanu. 'Gollyngwch!' gwaeddodd, a daeth y fasged yn nes at y cwch. Cydiodd Nic yn y fasged a'i throi, gyda chymorth Jim, gan arllwys y cynnwys i grombil y cwch. Pwldagodd Jim yn y cymylau o lwch du.

'Dyna dy waith di am heddiw a fory, nes y byddwn ni wedi llenwi'r howld,' meddai Nic wrth Jim. 'Ma 'da ni wyth deg tunnell i'w llwytho, a chyflyma i gyd y llanwn ni fe, cyflyma i gyd y cawn ni ddychwelyd i'r lan. Gwna'n siŵr nad y'n ni'n colli dim dros yr ochr. A gwna'n siŵr bod y ci mas o'r ffordd hefyd. A phaid â stopio.'

Gweithiodd y ddau trwy'r dydd a thrwy ran helaeth o'r nos hefyd. Cysgodd y ddau tan y wawr cyn dechrau arni eto, ac o'r diwedd roedd yr howld mor llawn fel y bu'n rhaid i Nic ddringo mas ohoni, yn pesychu a phoeri'r holl lwch glo roedd e wedi'i lyncu. Roedd ei wyneb yn ddu, ac o dan ei wallt du roedd ei lygaid fel dau golsyn coch. Roedd ei wefusau'n binc a gwlyb pan agorodd ei geg, ac roedd ei ychydig ddannedd fel perlau gwyn.

'Rho gwpwl o'r caeadau 'na nôl ar draws y dec,' gorchmynnodd, 'dwi'n mynd i nôl bwyd.' Dringodd yn ôl lan yr ysgol, yn poeri llysnafedd du wrth fynd.

Tynnodd Jim y caeadau'n ôl a chynnau'r ffwrn, gan eistedd wrthi i gynhesu'i hunan. Trodd y prynhawn yn gyfnos, a llwydodd yr awyr. Disgleiriai wyneb yr afon wrth i'r haul fachlud, ac yna'n raddol aeth popeth yn ddu. Fesul un, cyneuodd y cychod o'i amgylch eu lampau, a'u hongian dros eu hochrau. Roedd fel pe bai cannoedd o danau bychain yn dawnsio ar y dŵr. Dyfalodd Jim na fyddai unrhyw beth yn symud tan y llanw nesaf nawr.

Deuai ambell i chwerthiniad cras a chân fywiog o grombil *Brenhines y Gogledd.* Gallai Jim arogli tybaco. Teimlai'n reit hapus nawr fod y gwaith ar ben a'i fod yn gallu gorffwys. Cyn hir, gwyddai y byddai Nic Seimllyd yn dychwelyd i'r cwch gan regi arno am rywbeth, ond o leiaf byddai'n dychwelyd â bwyd. Golchodd Jim ei geg â gweddill y dŵr. Roedd Sneip yn ei wylio, ei glustiau'n effro ac yn gas, ei lygaid yn dyllau melyn yn y tywyllwch. Syllodd Jim draw ar draws y dŵr. Gallai ei glywed yn anadlu, fel anghenfil yn disgwyl.

'Hei ti, lawr fyn'na!' galwodd llais i lawr ato.

Neidiodd Jim ar ei draed. 'Pwy sy 'na?' Cododd y llusern, a gwylio wrth i bâr anghyfarwydd o esgidiau ddod i lawr yr ysgol tuag ato. Chwyrnodd Sneip ac yna setlodd eto wrth i berchennog yr esgidiau neidio i'r cwch a mwytho pen y ci.

'Dwi wedi dod i weld shwt ma Ben,' meddai'r dyn, mewn acen ryfedd.

'Sai'n ei 'nabod e,' atebodd Jim.

'Y crwt arall sy'n dod 'da Nic. Crwt mawr, lletchwith,' meddai'r dyn.

Cofiodd Jim am yr hyn roedd y bachgen wedi'i ddweud wrtho y tu allan i Dafarn y Morwr. 'Dwi'n meddwl ei fod e yn yr ysbyty.'

Chwibanodd y dyn. 'Wel, sai'n synnu. Roedd e'n edrych yn sâl pan weles i fe'r tro dwetha. Dwi wedi bod yn poeni amdano fe. A weden i mai Nic oedd yn gyfrifol am ei gyflwr e.'

'Sai'n gwbod.' Ofnai Jim ddweud unrhyw beth rhag ofn mai ystryw oedd y cyfan. Gallai Nic fod yno, hanner ffordd lawr y rhaff, yn barod i neidio arno.

'Ma fe'n dy guro di hefyd, ody e?' gofynnodd y dyn iddo.

Ddywedodd Jim yr un gair.

'Maen nhw'n meddwl eu bod nhw'n berchen arnat ti, ambell un o'r meistri 'ma. Ma nhw'n meddwl eu bod nhw'n berchen arnat ti, gorff ac enaid. Ond dy'n nhw ddim. Mae dy enaid di'n eiddo i ti. Wyt ti'n gwbod beth yw hwnnw, dy enaid?'

'Nagw, syr,' atebodd Jim, er ei fod yn dychmygu ei enaid fel rhywbeth gwyn a fflwfflyd, rhywbeth tebyg i gwmwl efallai, yn arnofio o amgylch ei gorff.

'Wel, ma fe fel dy enw di. Ma fe'n dod 'da ti wrth i ti gyrraedd i'r byd, a ti sy'n cael ei gadw e, ti sy'n berchen arno fe.' Anadlodd y dyn yn ddwfn, fel pe bai dod o hyd i'r disgrifiad hwnnw wedi bod yn waith caled. 'Fy enw i yw Ifan, gyda llaw, ac fe gei di wybod hynny am ddim.'

Roedd Jim yn dawel. Roedd rhan ohono eisiau dweud wrth y dyn hwn am Rosie a Chochyn, a sut roedd pobl yn ei adnabod unwaith fel Jim y Dawnsiwr, ond cadwodd y cwbl iddo'i hunan. Doedd e ddim yn teimlo fel dawnsio mwyach. Doedd e ddim yn meddwl y byddai'n teimlo fel dawnsio byth eto. Setlodd Ifan ger y tân a dal ei ddwylo drosto, ac edrychai fel pe bai'n ddigon hapus i aros yno trwy'r nos. Dywedodd wrth Jim fod Nic yn cysgu'n drwm ar fwrdd *Brenhines y Gogledd.*

'Ma fe wedi stwffio'i fola'n llawn – 'sdim rhagor o le ynddo fe!' meddai Ifan. 'Felly paid â disgwyl fe'n ôl am sbel eto. Ddim nes bydd y llanw'n dod mewn beth bynnag.'

'I ble mae'r llanw'n mynd?' gofynnodd Jim yn

dawel. Roedd e dal yn wyliadwrus o Ifan, ond roedd e'n ei hoffi, roedd e'n sicr o hynny. Doedd e ddim wedi adnabod dyn fel hwn o'r blaen, dyn oedd yn siarad yn garedig gyda bechgyn ifanc.

'I ble ma fe'n mynd?' Chwythodd Ifan trwy ei wefusau. 'Wel, ma fe 'na, on'd yw e? Ma fe'n cael ei dynnu un ffordd, yna'n cael ei dynnu'r ffordd arall, ac mae'r un peth yn digwydd ddydd ar ôl dydd ar ôl dydd. Ac mi fydd e wastad yn gwneud. Lle does dim tir, ma dŵr, digonedd ohono fe. A dim ond wyneb y dŵr wyt ti'n ei weld. Ma tipyn mwy oddi tano fe. Milltiroedd ar filltiroedd ohono fe. Dychmyga 'ny!'

Ceisiodd Jim ei ddychmygu, ond roedd e wedi blino ac eisiau bwyd ac roedd dychmygu'n anodd. 'Wyt ti'n byw yn y llong 'na?' gofynnodd i Ifan.

'Dim ond pan fo raid. Ma 'da fi gartre go iawn hefyd. Cyn gynted ag y'ch chi'n dadlwytho'r glo oddi arnon ni ry'n ni'n mynd adre. Ry'n ni'n hwylio ar hyd arfordir Lloegr o fan hyn, reit lan i'r gogledd. A dim diwedd y môr yw hwnna cofia. Gallet ti fynd rownd y byd petaet ti'n aros ar y môr.'

'Fe hoffwn i wneud 'ny,' meddai Jim.

Chwarddodd Ifan. 'Hen un doniol wyt ti. Pam fyddet ti eisie gwneud 'ny? Ma fe'n lle mawr ac unig, y môr. Yn unig iawn.'

'Falle y gallwn i ddod o hyd i rywle braf i fyw.'

Chwarddodd Ifan unwaith eto. 'Dwyt ti ddim yn hoffi byw fan hyn 'te?'

'Nagw, syr. Ma fe'n oer ac yn galed a sai'n cael digon o fwyd.' Gostyngodd Jim ei lais. 'A ma fe'n gweiddi a rhegi drwy'r amser.'

'Dyw e ddim yn fywyd da i grwt,' cytunodd Ifan.

‘Ma ’da fi grwt bach fel ti. A dwi’n falch ei fod e gartre, yn glyd yn ei wely gyda’i chwiorydd a’i fam, a ddim mas fan ’yn.’

Ysgydwodd Jim y glo yn y tân. Roedd e’n gallu teimlo ei fochau’n gynnes a’i lygaid yn dechrau llosgi. Roedd ganddo syniad newydd, syniad bychan yn dechrau corddi’n ysgafn y tu mewn iddo, fel pryfyn. Gwthiodd y darnau glo unwaith eto, gan adael i’r llwch ddisgyn i’r llawr.

Cododd Ifan ac ymestyn ei hunan. ‘Wel, well i fi fynd nôl i’r llong i orffwys. Byddwn ni’n hwylio gyda’r llanw fory.’ Neidiodd ar waelod yr ysgol.

‘Ifan.’ Llamodd syniad Jim allan ohono ar amrantiad. ‘Alla i ddod gyda chi?’

Edrychodd Ifan lawr arno. Roedd cysgod dros ei wyneb, ond roedd ei lais yn garedig a meddal. ‘Dod gyda fi? Pam?’

Gostyngodd Jim ei ben a chodi’i ysgwyddau. Roedd ei fochau’n llosgi eto. Doedd e ddim yn gallu dod o hyd i’w lais yn iawn. ‘Dwi’n meddwl y byddai’n well, ’na i gyd,’ sibrydodd.

‘’Sdim byd yn dod fawr gwell,’ meddai Ifan. ‘Dim nes byddi di’n marw.’

Tynnodd ei hun yn gyflym i fyny’r rhaff, gan chwibanu’n dawel trwy ei ddannedd. Eisteddodd Jim am amser hir gyda’i goesau wedi’u croesi a’i freichiau wedi’u plethu o amgylch ei bengliniau. Roedd y lleuad wedi ymddangos, yn gylch disglair dirmygus, ac adlewyrchiad ei wynder yn yr afon. Roedd popeth arall yn ddu. Doedd dim byd arall, dim ond calon ddu’r cwch hwn a’i wely bach yntau. Dyma oedd ei gartref. Roedd yn rhaid iddo dderbyn hynny.

16

Bachgen mewn poen

Gorweddai Jim ar ddihun yn gwrando ar sŵn y chwerthin a dreiddiai o fwrdd *Brenhines y Gogledd.* Teimlai'n unig iawn. Roedd awyr y nos wedi cymylu, ac yn dywyllach nag y cofiai'r awyr erioed o'r blaen. Roedd fel pe bai'r nos yn ymestyn am byth.

'Hoffwn i gael brawd,' meddyliodd, ac yna dywedodd y geiriau'n uchel. 'Hoffwn i gael brawd.' Roedd ei lais yn grynedig a swil. Cododd ar ei draed a gweiddi. 'Hoffwn i gael brawd!'

Meddyliodd am Tip, yn cysgu yn y wyrcws yn y tywyllwch. Meddyliodd am Cochyn, mewn tŷ yn llawn dynion yn chwyrnu. Meddyliodd am fab Ifan, yn glyd yn ei wely gyda mam a chwiorydd go iawn.

'Ma llawer o frodyr 'da ti, Jim,' meddai wrtho'i hunan, gan feddwl mai dyna fyddai Cochyn wedi'i ddweud. 'Ond dy'n nhw ddim 'ma ar hyn o bryd, dyna i gyd.'

Tynnodd ei sach o'i amgylch a syrthio i gysgu.

Roedd Nic Seimllyd yn chwerthin yn dawel wrtho'i hunan wrth iddo ddringo lawr yr ysgol. Roedd yr awyr yr un lliw â llaeth. Deffrodd Jim o'i drwmgwsg, a meddwl ar unwaith am y tân, rhag ofn ei fod wedi'i esgeuluso a gadael iddo ddiffodd. Taflodd Nic asgwrn i'r ci, a llamodd hwnnw ar ei wledd, gan chwyrnu.

Estynnodd Jim ei law am ei fwyd yntau. Chafodd e ddim.

'Bydd 'na waith i'w wneud cyn hir, cymaint ag a welest ti erioed,' meddai Nic wrtho, a llithrodd i mewn i'r howld, gan dasgu glo i bobman.

Chwyrnai Sneip wrth iddo larpio'r asgwrn rhwng ei bawennau. 'Dwed wrtho,' meddai llais ym mhen Jim. 'Dwed wrtho! Ma fe wedi anghofio amdanat ti!'

'Nic,' sibrydodd Jim.

Pesychodd Nic a throi ato.

Roedd yr angen am fwyd yn gwneud Jim yn ddewrach nag arfer. 'Anghofiest ti fy mwyd i?'

Gydag un symudiad cyflym taflodd Nic ei flanced o'r neilltu. Tynnodd ei hunan allan o'r howld ac i'r dec.

'Anghofies i, do fe?'

'Dwi'n meddwl 'ny, Nic.'

'Cymer hwn, 'te.' Plygodd Nic a thynnu'r asgwrn o geg y ci. Cydiodd dannedd y ci yn dynn ynddo ond ciciodd Nic y ci i ffwrdd. Gafaelodd yn Jim a gwthio wyneb y bachgen yn erbyn yr asgwrn, nes bod ei geg yn pwyso yn erbyn yr asgwrn. Gallai Jim arogli anadl y ci arno. Ceisiodd Jim ddianc o afael Nic. Llamodd y ci a suddo'i ddannedd i law Jim, ac wrth i'r bachgen geisio tynnu ei law o afael y ci, brathodd y ci eto ac eto, nes i Nic daflu'r asgwrn ar draws y dec gan chwerthin yn gas. Neidiodd y ci ar ôl ei asgwrn, ac yna gorwedd yno, yn gwarchod ei drysor ac yn gwylio Jim yn ofalus.

'Dyna dy fwyd di, os wyt ti mo'yn e,' meddai Nic. Safai yno, ei ddwylo ar ei gluniau, yn gwylio Jim. Eisteddodd y bachgen yn ôl i lawr.

''Sdim amser i fwyta nawr, na chysgu.' Cododd Nic ei ben, gan arogli'r awyr. 'Ma'r llanw'n troi.'

Ymlwybrodd y cwch yn araf i fyny'r afon gan fod yr howld yn llawn glo. Safai Nic yn gweithio'r rhwyf, gan syllu'n syth o'i flaen, a gweiddi weithiau ar longwyr eraill wrth iddyn nhw agosáu. Roedd holl armada cychod yr afon yn symud tuag adre ar yr un pryd, fel pryfed.

Dim ond pan oedden nhw o fewn golwg i'r glanfeydd eto, gyda'r ddinas yn codi'n dyrau ac adeiladau o'u blaenau, y trodd Nic yn ôl i edrych ar Jim.

'Fe wnest ti'n weddol dda,' meddai wrtho, ac yna tynnodd ychydig ddarnau o gig o'i boced a'u taflu at Jim, gan chwerthin wrth i'r bachgen edrych mewn syndod arno.

Ond wnaeth Jim ddim cythru am y darnau cig fel roedd Nic wedi'i ddisgwyl. Fyddai dim wedi'i demtio i gythru arnyn nhw. Byddai wedi hoffi cicio'r cig dros ymyl y cwch i'r afon, ond doedd e ddim hyd yn oed yn gallu cyfaddef wrtho'i hunan ei fod wedi gweld y darnau. Roedd yn well ganddo esgus nad oedd wedi'u gweld. Trodd i ffwrdd, ei ddyrnau'n ddwy belen galed, a meddyliodd am y fowlen fawr o gig y byddai Nic wedi'i fwyta ar fwrdd *Brenhines y Gogledd*, gyda grefi a mwstard a thatws poeth. Byddai wedi gallu galw ar Jim i ddod i fyny i'w rannu gyda fe. Yn lle hynny roedd wedi gwthio gweddillion ei fwyd i'w boced lychlyd. Roedd Jim yn ei gasáu am hynny. Pan drodd yn ôl at Nic, gwelodd fod y ci wedi bwyta'r cyfan.

'Fyddet ti ddim wedi'i fyta fe, beth bynnag,' mwmialodd y llais yn ei ben. 'Fydde fe wedi dy dagu di.'

Safodd Nic gyda'i ddwylo yn ei boced, yn

chwibanu'n dawel ac yn gwylio'r ci. 'Wel, hen un od wyt ti,' meddai wrth Jim. 'Sai'n gwbod os odw i'n dy ddeall di.'

'Paid â'i ateb e,' meddyliodd Jim. 'Os na all e fod yn ddigon o ddyn i ddod â bwyd go iawn i ti, paid ti â gwneud ymdrech i siarad 'da fe, ti'n gweld? Esgus nad yw e 'na o gwbl.'

Cyn gynted ag y gwthiodd y *Lili* i'r cei y tu allan i iard lo Cadwgan, aeth Jim a Nic yn syth ati i weithio. Gostyngodd yr Wyneb Gwyn y fasged a llanwodd y ddau hi, ei gwylio'n cael ei thynnu'n ôl i fyny, ac yna aros iddi ddychwelyd eto. Gwyddai Jim beth oedd patrwm ei fywyd nawr, llenwi howld y *Lili* â glo o'r llongau mawr oedd yn aros y tu allan i'r porthladd, tynnu'r glo lan yr afon i'r warws a gwagio'r cwch, fel bod y glo'n cael ei ddosbarthu i bobl Llundain ar geffyl a chert. Nôl ac ymlaen, llenwi a gwagio, rhofio a chodi, ddydd ar ôl dydd ar ôl dydd. A doedd e byth yn torri gair â Nic. Byddai'n cysgu ar ei wely caled bob nos. Byddai'n bwyta pan fyddai Nic yn dymuno'i fwydo. Caethwas Nic oedd e, ac roedd e'n cael ei drin yn waeth nag anifail.

'Hoffwn i fod yn Sneip,' meddyliai weithiau, pan oedd Nic yn mwytho pen yr anifail, ac yn bwydo tameidiau blasus o gig iddo o'i boced.

Unwaith neu ddwy, pan oedden nhw wedi angori'r cwch ger *Brenhines y Gogledd* byddai Nic yn amneidio arno i'w ddilyn lan i'r dec. Chwiliai Jim yn eiddgar am Ifan, ond welodd e mohono wedyn. 'Gafodd e waith ar y lan,' meddai un o'r dynion wrtho. 'Ro'dd e eisie gweld mwy o'i deulu. Wedodd e ei fod e wedi cwrdd â rhyw grwt bach a gododd hiraeth arno am fod adre.'

Fel Ifan, doedd Jim ddim yn hoff o gwmni garw'r dynion. Roedd eu lleisiau'n uchel ac ymffrostgar, ond o leiaf roedd hynny'n wahanol i dawelwch bygythiol Nic, ac roedd Jim yn siŵr o gael bwyd ar fwrdd y llong. Ond feddyliodd e erioed eto am aros ar fwrdd y llong a dianc gyda nhw. Pe bai'n gwneud hynny, byddai'r dynion yn siŵr o ddod o hyd iddo a'i ddychwelyd at Nic. Doedd dim dianc, dim o gwbl.

Ond fe wnaeth Jim geisio dianc un noson. Roedd wedi bod yn byw gyda Nic am flwyddyn pan ddaeth y cyfle.

Cododd storm sydyn, a honno'n storm mor wyllt fel y bu'n rhaid i Nic anelu am lan yr afon ar unwaith, yn hytrach na nôl i'r glanfeydd. Chwyrlïai'r afon fel rhyw anghenfil mawr, gan daflu'r *Lili* o gwmpas fel tegan. Cydiai Jim yn dynn yn ochr y cwch, yn wan ac yn ofnus, ond cyn gynted ag y daethant i'r lan teimlai'n well o lawer. Cwympodd Nic a Sneip i gysgu bron ar unwaith.

Gallai Jim glywed sŵn clychau. Drwy'r glaw trwm gallai weld pentref yn y pellter, a thŵr eglwys. Byddai'n gallu rhedeg yno i gysgodi. Gan fod y storm yn gwneud cymaint o sŵn efallai na fyddai Nic a Sneip yn ei glywed.

'Dere 'mlân grwt!' anogodd y llais yn ei ben. 'Galli di ei wneud e! Galli di ei wneud e!'

Sleifiodd Jim yn agos at yr ochr. Roedd pobman yn llithrig oherwydd y glaw. Taflodd un goes dros yr ymyl, yna'r llall, ac roedd ar fin neidio i lawr pan ddaliodd ei lawes yn y rhwyf oedd wedi'i gosod ar draws y cwch. Rhoddodd honno glec annaearol wrth gwympo ar bren y dec. Cododd Sneip ei glustiau. Ac yn anterth y storm clywyd synau rhyfedd eraill – cyfarth ci, bloeddiadau dyn a llefain bachgen mewn poen.

'Meddwl y bydde siawns 'da ti, o't ti?' sgrechiodd Nic, gan godi Jim a thaflu'r bachgen i lawr i'r howld ar ben y glo. 'Byddi di'n gwybod yn well y tro nesa!' Caeodd ddrysau'r howld yn glep uwch ei ben.

Gorweddodd Jim yn y tywyllwch, yn mwytho'i goes lle roedd dannedd Sneip wedi rhwygo'r croen. Roedd yn gynnes ac yn wlyb oherwydd y gwaed. Doedd e erioed wedi teimlo'r fath boen.

17

Yr anghenfil yn crio

Treuliodd Jim sawl diwrnod yn gorwedd yn yr howld, yn rhy wan i symud. Roedd ei goes yn gwneud cymaint o ddolur fel y dychmygai'r bachgen na fyddai'n cerdded byth eto. Gweithiai Nic o'i amgylch, yn ei wylio'n fygythiol.

'Coda, wnei di? Coda!' gwaeddodd arno un diwrnod. 'Ma gen i rywbeth i ti, os wnei di godi.'

Stryffaglodd Jim ar ei draed. Ofnai beth fyddai'n digwydd iddo pe na bai'n dangos ei fod yn barod i weithio. Gwyliodd Nic ef dan chwibanu.

'Dere draw fan 'yn nawr.'

Herciodd Jim draw ato, yn falch y medrai wneud cymaint â hynny heb ddangos i Nic ei fod mor ddolurus. Cyn gynted ag y cyrhaeddodd at Nic gwthiodd hwnnw ben Jim i'r llawr a chlymu rhaff o amgylch ei wddf. Clymodd ben arall y rhaff i fachyn ar y dec.

'Dyna fi wedi dy ddal di nawr, fy aderyn gwyllt i!' chwarddodd Nic. 'Fyddi di ddim yn gallu hedfan nawr!'

Trodd Jim i ffwrdd heb ddweud gair. 'Fe dala i nôl i ti,' meddyliodd. 'Rhyw ddiwrnod, Nic, mi fyddi di'n difaru'r hyn wnest ti i mi heddiw.'

Un bore o haf herciodd Jim o iard Cadwgan gyda phadell yn llawn dŵr. Doedd dim angen i Sneip ei ddilyn draw i'r pwmp dŵr ac yn ôl y dyddiau hyn. Byddai'n eistedd wrth y gât, yn gwylio, ei dafod yn hongian a'i glustiau'n gwrando'n astud. Hyd yn oed petai Jim wedi llwyddo i ddatod y rhaff, fyddai e ddim yn gallu rhedeg oddi wrth Sneip. Roedd hi wedi cymryd misoedd i'r creithiau ar ei goes wella, a hyd yn oed nawr ni allai roi ei bwysau'n llwyr ar ei goes.

Cododd y dŵr i'r cwch a dechrau paratoi ychydig o uwd, yn union fel y byddai'n gwneud bob dydd pan fyddai'r cwch wedi'i angori yn iard Cadwgan, tra byddai Nic yn llwytho glo i'r fasged. Pan oedd yr uwd yn barod, byddai'n taro'r llwy bren yn erbyn y crochan. Doedd e ddim yn siarad â Nic y dyddiau yma. Gwaeddodd Nic ar y dyn i godi'r fasged, ac wrth i honno wichian ei ffordd heibio iddo, sylwodd Jim pa mor frau oedd y rhaff. Roedd y ceinciau'n denau ac yn dynn, yn hytrach nag wedi'u plethu fel rhaffau arferol, ac wrth iddo wylio sylwodd Jim ar rai o'r rhain yn torri. Cododd y fasged i'r awyr yn araf, a safodd Jim yn ei gwylio. Rhedodd ias i lawr ei asgwrn cefn, a dechreuodd ei galon guro'n gyflymach.

Roedd Nic yn codi'n araf allan o'r howld. Yn uchel uwch ei ben, dechreuodd y fasged wyro i un ochr.

'Nic!' gwaeddodd Jim.

Edrychodd Nic i fyny'n siarp, a gweld bod Jim yn edrych ar y fasged. Taflodd ei hunan i un ochr. Yr eiliad honno, torrodd y rhaff, a chwympodd yr holl lo i lawr.

Aeth popeth yn llethol o dawel. Udodd Sneip, a dechreuodd synhwyro trwy'r glo. Gwaeddodd yr Wyneb Gwyn i lawr o'i ffenest uchel, ac yna rhuthrodd i lawr y grisiau haearn, ei esgidiau hoelion yn taranu ar bob gris. Symudodd Jim ddim o'i unfan.

Gwthiodd yr Wyneb Gwyn heibio iddo a syllodd ar y pentwr glo. Rhedodd nôl a dechrau ysgwyd Jim.

'Paid â sefyll 'na, grwt. Helpa fi.'

Gyda'i ddwylo, dechreuodd yr Wyneb Gwyn wthio'r glo i'r naill ochr, gan ebychu'n uchel wrth wneud. Yn oer ac yn dawel, penliniodd Jim wrth ei ochr, gan dynnu pob darn o lo'n ofalus o'r domen a'i roi y tu ôl iddo. Roedd yn ofnus iawn.

'Edrychwch!' sibrydodd o'r diwedd, a stopiodd yr Wyneb Gwyn grafu. Roedd y darnau glo fel pe baent yn symud o'u gwirfodd. Roedd y pentwr fel pe bai'n anadlu. Daeth pâr o ddwylo du i'r golwg, yna wyneb, yn blincio yn y golau, ac fel anghenfil o'r môr cododd Nic Seimllyd o'r glo. Cododd yn ansicr ar ei draed, gan ysgwyd rhaeadrau o lwch du oddi ar ei ddillad. Taflodd Sneip ei hun arno. Penliniodd Nic unwaith eto ar y dec, yn anadlu'n drwm, gan syllu o'i gwmpas fel pe bai'n methu credu ble roedd e.

'Fe af i i nôl doctor i ti,' meddai'r Wyneb Gwyn. Roedd e'n crynu.

'Na, wnei di ddim,' rhybuddiodd Nic. 'Alla i ddim fforddio doctor. Fe fydda i fyw.'

'A gelli di ddiolch i dy fachgen am hynny,' meddai'r Wyneb Gwyn wrtho. Dringodd yn ôl i'r lanfa, gan edrych ar ei oriawr boced wrth wneud. 'Dwi'n credu ei fod e wedi achub dy fywyd di.' Cerddodd yn swnllyd yn ôl lan y grisiau, gan gyfri pob gris wrth wneud.

Feiddiai Jim ddim edrych ar Nic. Doedd e ddim yn ei ofni. Fyddai ganddo fyth ofn Nic eto, roedd e'n gwybod hynny. Yr hyn na fedrai Jim ei ddioddef oedd y sŵn a ddeuai o gyfeiriad Nic, griddfannau bach oedd yn codi fel swigod o'i grombil. Pan edrychodd Jim arno o'r diwedd, sylwodd ar y llwybrau gwlyb, gwyn wrth i'r dagrau diddiwedd ffrydio i lawr bochau Nic.

18

Mi allet ti lwyddo

Roedd hi'n hydref. Arweiniwyd yr orymdaith ar yr afon gan dwba golchi wedi'i dynnu gan chwe gŵydd. Roedd rubanau a blodau a chadachau gwyn oedd yn cyhwfan fel adenydd elyrch yn addurno pob cwch. Rholiwyd rhai o'r dynion i lawr yr afon mewn casgenni, a chwarddai pawb ar ben y rhain. Roedd pobl yn sefyll ar hyd glannau'r afon, yn gwisgo dillad lliwgar a chotiau sgleiniog, ac yn chwarae utgyrn a churo drymiau. Roedd teulu o gardotwyr yn canu emynau, a lleisiau main y plant bach fel rhai adar. Gŵyl fawr y glowyr oedd hon, a dilynai'r *Lili* yr orymdaith, wedi'i hesgusodi o waith y dydd. Gwaeddai Nic a'i ffrindiau ar ei gilydd, a chanu o dro i dro.

Ymhlith y gwylwyr ar y lan roedd ambell gerbyd wedi'i baentio'n lliwgar. Safai dau glown wyneb-trist yno, yn dal baner werdd a choch. 'Syrcas Fyd-enwog Juglini', darllenodd Nic.

Roedd Jim eisiau gofyn 'Beth yw syrcas?' ond feiddiai e ddim. Daeth teulu'r perchennog allan o'u cerbyd i wylio. Roedd y fam a'r tad yn dal plentyn yr un a dawnsiai'r plant hŷn o'u hamgylch. Safodd bachgen yr un oed â Jim ar ei ddwylo a chwifio ei draed ar y cychod. Chwifiodd Jim ei law yn ôl arno, a disgynnodd y bachgen ar ei draed, chwifio yn ôl, gyda'i law y tro hwn, ac yna sefyll ar ei ddwylo eto.

'Ti'n gweld,' meddai'r llais yn ei ben eto. 'Ffrind arall i Jim. Maen nhw ym mhobman, on'd y'n nhw?'

Am ychydig, wrth i'r orymdaith fynd heibio, rhedodd y bachgen ar hyd y lan gyferbyn â'r *Lili*. Chwifiodd a gwaeddodd 'Dewch i'r syrcas! Dewch i'r syrcas!' yna arafodd eto wrth i'r dorf gynyddu. Cwpanodd Jim ei ddwylo o gwmpas ei geg a gweiddi 'Fe wna i! Fe wna i!' Roedden nhw'n nesáu at bentref arall. Safodd Jim er mwyn gweld y bachgen. Gallai glywed cerddorfa'r syrcas, y drymiau'n curo, y trwmpedi a'r trombôns yn seinio. Dychmygai y gallai glywed llais y bachgen o hyd.

Roedd hi'n ymddangos mai prif bwrpas yr ŵyl oedd i bob dyn glo a pherchennog cwch glo lanio ym mhob pentref a mynychu'r dafarn yno, ac yfed nes eu bod yn gwbl feddw. Stryffaglai a chwympai Nic Seimllyd gyda'r gweddill, a chanai yn uwch ac yn fwy aneglur wrth i'r dydd fynd yn ei flaen. Rhoddodd ei rwyf hir i gadw yn yr howld a chwarddodd i lawr ar wyneb cyffrous Jim.

'Rwyt ti eisie mynd i fwynhau dy hunan, yn dwyt ti?'

'Plîs, Nic … Ga i?'

Chwibanodd Nic yn ei ffordd sarhaus a cherddodd i ffwrdd. Gwyliodd Jim ef yn gadael, gan ei gasáu. Cyrcydodd wrth ymyl Sneip, gan fyseddu'r rhaff o gwmpas ei wddf. Roedd yn dechrau nosi ar yr afon, er ei bod yn dal yn gynnes. Roedd teuluoedd wedi ymgasglu ar lan yr afon, a galwai'r mamau ar eu plant. Edrychent yn chwilfrydig arno wrth basio, gan sibrwd wrth ei gilydd, eu dwylo ar draws eu cegau. Gwyddai Jim eu bod yn chwerthin am ei ben.

'Beth wyt ti'n ei wneud fan hyn?' gofynnodd y llais

yn ei ben, 'wedi dy glymu fel anifail, yn bwyta a chysgu fel anifail, heb neb i siarad gyda fe? Mae'n amser i ti adael, mae'n amser i ti fentro, frawd, heb amheuaeth.'

Cododd, a chwyrnodd Sneip arno. Cofiodd Jim am ei gyfle yn y wyrcws pan ddihangodd gyda'r carpedi, am y ffordd y neidiodd ar y cyfle, a sut y llwyddodd y cynllun. Os llwyddodd e i ddianc y tro hwnnw, byddai'n llwyddo eto. Fe fu ychydig yn rhy fentrus y tro diwethaf, heb feddwl rhyw lawer am yr hyn roedd e'n ei wneud. Roedd wedi neidio cyn edrych. Byddai'n wallgof cymryd siawns fel 'ny eto. Ond y tro hwn, roedd yn hollol dawel ei feddwl. Doedd e ddim yn mynd i neidio i'r tywyllwch y tro hwn. Ond roedd e'n mynd i ddianc. Roedd e'n gwybod hynny.

Cyn diwedd y nos, byddai Nic Seimllyd yn fwy meddw nag a fu erioed o'r blaen. Dyma gyfle perffaith. Gwyddai'n union beth i'w wneud.

Wrth aros, disgynnodd i'r howld a chwiliodd am ddarnau trwm o lo. Cariodd hwy nôl lan i'r dec a'u cuddio. Yna daeth o hyd i ddarn bychan, miniog. Rhedodd ei law ar hyd ei ymyl. Perffaith.

Gosododd orchuddion pren y cwch ar draws yr howld, pob un heblaw am y darn hwnnw oedd yn cynnwys y drws bychan i fynd i lawr yno. Roedd yr howld o'r golwg bron yn llwyr. Cymerodd y darn bychan miniog o lo a dechreuodd ei rwbio yn erbyn y rhaff o gwmpas ei wddf. Teimlai fel pe bai'n cymryd oriau. Dechreuodd gredu na fyddai'r rhaff byth yn torri, ond yn sydyn, synhwyrodd fod y ceinciau'n dechrau gwanhau. Roedd ei arddwrn yn boenus iawn. Petai Nic yn dychwelyd tra oedd e'n gweithio ar y rhaff, penderfynodd y byddai'n esgus ei fod yn cysgu. Mater o amser oedd hi nawr. Roedd yn rhaid i'r rhaff dorri. Deuai synau amrywiol o'r pentref ac o'r afon o dro i dro. Parhaodd Jim i weithio, gan grafu a chrafu ar y rhaff. Roedd yn rhaid iddi dorri.

O'r diwedd, llwyddodd i dorri trwy'r rhaff. Crafodd y darn o lo ei wddf wrth i'r rhaff dorri, ond doedd dim gwahaniaeth gan Jim. Cydiodd yn y rhaff a nesáu'n raddol at Sneip, gan ofalu peidio â'i ddychryn. Agorodd y ci ei lygaid melyn a chwyrnu arno.

'Popeth yn iawn, Sneip. Popeth yn iawn.'

Gorfododd ei hun i fwytho blew garw'r ci. Chwyrnodd Sneip arno eto. Parhaodd Jim i fwytho'r ci ac i siarad yn dawel ag e, gan wrando am Nic drwy'r cyfan. O'r diwedd, penderfynodd fod y ci'n ddigon tawel. Tynnodd y rhaff yn gyflym o gwmpas gwddf y ci a'i glymu. Da iawn.

Clywodd Nic yn dychwelyd, yn canu a baglu wrth gerdded hyd glan yr afon. Doedd dim gwahaniaeth. Roedd gan Jim gynllun. Pan stryffaglodd Nic i'r dec cododd ei lusern a gweld bod ei fachgen a'i gi yn gorwedd ochr yn ochr, a llaw'r bachgen am wddf y ci. Teimlai'n eiddigeddus o'u tawelwch. Ceisiodd gripio heibio iddynt, ond baglodd, a chwympo i mewn i'r howld. Clustfeiniodd Jim a Sneip. Bron ar unwaith, roedd anadlu cyson Nic yn troi'n chwyrnu braf.

Arhosodd Jim yn llonydd am amser hir. Ar y lan, roedd pethau wedi tawelu. Roedd yr ieir a'r cŵn, y gwartheg a'r moch ym mhob pentref wedi mynd i glwydo am y nos.

Ystwyriodd Jim yn araf. Hanner dihunodd Sneip. Eisteddodd Jim am ychydig yna nesaodd at yr howld. Gwyliodd y ci hyd nes i'w ben suddo'n araf eto i'w bawennau.

'Dere 'mlân. Galli di ei wneud e. Mi alli di.'

Ac roedd e'n gwybod y gallai.

Safodd ar ei draed yn araf, araf, yna cododd glawr pren olaf yr howld a'i ostwng i'w le. Cysgai'r ci. Un ar y tro, symudodd y darnau glo trwm roedd wedi'u codi yn gynharach, a heb siw na miw, gosododd hwy ar y clawr. Gweithiodd yn araf ac yn bwyllog, a chysgai'r ci o hyd. Yna sythodd. Doedd dim yn symud. Dim sŵn o gwbl.

Cripiodd draw at ymyl y cwch a thaflu cipolwg sydyn yn ôl ar y ci, yna, gydag un symudiad cyflym, rholiodd ei gorff oddi ar ymyl y cwch a glaniodd ar y lan. Cododd, a dechreuodd redeg.

19

Dianc

Dihunodd Sneip ar unwaith. Atseiniai ei gyfarth trwy'r tywyllwch. Tynnodd a thynnodd yn erbyn y rhaff. Gwaeddodd Nic Seimllyd nes ei fod yn dihuno, a dyrnu'n erbyn caead yr howld. Ar draws y caeau dihunodd holl anifeiliaid y pentrefi. Cyneuwyd goleuadau a thaflwyd eu llewyrch ar draws dŵr yr afon.

Rhedodd Jim yn ei flaen, ei ben wedi'i ostwng, gan geisio osgoi'r coed a'r cloddiau. Gallai glywed sŵn ei anadlu trwm, a'i sodlau'n bwrw'r ddaear. Rhwygai mieri ei drowsus a'i siaced. Tynnwyd ei gap oddi ar ei ben gan frigyn coeden, a bu'n rhaid i Jim aros a throi'n ôl i'w gasglu. Camodd ymlaen, ei ysgyfaint yn dynn ac ar ffrwydro, ei goesau'n drwm fel plwm. Doedd ganddo ddim syniad i ble roedd e'n mynd.

Clywodd sŵn rhywbeth yn rhuthro drwy'r glaswellt ar ei ôl ac roedd e'n gwybod bod rhywbeth yn ei ddilyn. Dechreuodd y peth snwffio ac anadlu'n drwm. Ci oedd yno. Roedd coes Jim yn gwneud cymaint o ddolur nawr fel na fedrai redeg ymhellach. Yn hollol flinedig, taflodd ei hun i'r llawr, rhoi ei ddwylo dros ei wyneb a disgwyl i Sneip ei larpio.

Sylweddolodd fod popeth wedi tawelu eto, fel pe bai'r byd wedi disgyn nôl i drwmgwsg. O'r diwedd, gorfododd ei hun i droi ei ben. Nid Sneip oedd yno o gwbl, ond daeargi bach. Llyfodd hwnnw law Jim ac yna rhedodd i ffwrdd eto drwy'r clawdd. Doedd dim sŵn o gwbl. Os oedd Sneip yn dal i gyfarth, doedd e ddim o fewn clyw. Os oedd Nic yn dal i bwnio a rhegi, roedd ei sŵn ar goll yn y nos.

'Beth os y'n nhw wedi marw, frawd?' holodd y llais yn ei ben. 'Beth os yw Nic yn mygu lawr yn yr howld. Beth os yw Sneip wedi crogi ei hun ar y rhaff?' Eisteddodd i fyny, yn chwys oer drosto. 'Beth os wyt ti wedi'u lladd nhw?'

Safodd ar ei draed o'r diwedd. Doedd dim smic o sŵn yn unman. Chwibanodd yn dawel am y ci, a rhedodd hwnnw allan o'r clawdd ato, yna dawnsiodd yn gyflym yn ei ôl. Roedd ar ben ei hun eto, a'r tro hwn, y tawelwch oedd yn codi ofn arno. Llusgodd ei hun i mewn i'r clawdd, gan obeithio cysgu, ond roedd y tawelwch yn fyddarol o'i gwmpas.

'Rwyt ti wedi'i gwneud hi nawr,' sibrydodd y llais bach. 'Rwyt ti wedi gadael dy feistr i fygu, ac rwyt ti wedi crogi ei gi ar raff. Rwyt ti wedi lladd y ddau, on'd wyt ti? Rwyt ti'n mynd i dalu am hyn, Jim.'

20

Y garafán werdd

Dihunodd Jim i sŵn ceffylau, a churo eu carnau'n gwneud i'r ddaear grynu. Rhedodd at ymyl ei gae ef a thrwy goedwig fechan hyd nes iddo gyrraedd llannerch lydan mewn cae arall. Mae'n rhaid bod tuag ugain o geffylau yno, yn cael eu hymarfer mewn cylch. Yng nghanol y cylch safai gŵr gyda chwip, a gwaeddai ar y ceffylau gan hyrddio'i chwip o dro i dro. Byddai hynny'n gwneud i'r ceffylau aros a chodi ar eu traed ôl, cyn troi yn eu hunfan ac yna drotian i'r cyfeiriad arall. Doedden nhw'n ddim byd tebyg i'r ceffylau gwedd yr oedd Jim wedi'u gweld yn tynnu coetsys, na chwaith yn debyg i geffyl trist ac esgyrnog Betsi Gloff. Roedd y ceffylau yma'n bwerus a bywiog, ac yn codi'u coesau'n uchel fel dawnswyr.

Ym mhen arall y cae roedd pabell enfawr. Roedd dynion a phlant yn gweiddi a chwerthin yn uchel wrth dynnu ar y rhaffau a chodi'r babell ar ei thraed. Roedd hi fel aderyn anferth, yn wyrdd ac aflonydd. Yr holl ffordd o amgylch ymylon y cae roedd carafannau, pob un wedi'i phaentio'n lliwgar.

Roedd geiriau wedi'u paentio ar y fwyaf ohonynt, a theimlai Jim yn sicr mai 'Syrcas Juglini' fyddai'r geiriau hynny. Roedd gan y garafán ddrws gwyrdd a chnociwr pres arno, ffenestri a chyrtens mwslin, a simne'n codi o'r cefn a mwg yn chwyrlïo ohoni. Syllai menyw allan drwy'r ffenest gefn arno, fel pe bai hi mewn breuddwyd a heb sylwi arno o gwbl. Dyfalodd Jim mai Madam Juglini ei hun oedd hon. Cofiai sut y dawnsiodd ei phlant a chwifio eu dwylo arno o lan yr afon, a chododd ei ddwylo'n reddfol at ei wddf i deimlo am y rhaff fu'n ei glymu cyhyd. Roedd honno wedi mynd – am byth, gobeithio.

Deuai arogl coginio hyfryd o'r garafán. Ni allai Jim gofio pryd y cafodd fwyd ddiwethaf. Pa bryd bynnag oedd hynny, dim ond briwsion o bocedi Nic Seimllyd fydden nhw. Wrth i Jim wylio, diflannodd y fenyw a daeth dau blentyn bach i'r ffenest yn ei lle. Roedd Jim yn eu hadnabod fel y ddau ifanc oedd ar ysgwyddau eu rhieni y diwrnod blaenorol. Gwelodd y ddau ef a phwyntio ato, gan chwerthin.

Agorodd y fenyw y drws i'r garafán. Gwingai ei phlant ar y ris o'i blaen, gan bwffian chwerthin ar Jim.

'Os gwelwch chi'n dda, madam …' dechreuodd Jim. Pe na bai mor llwglyd byddai wedi rhedeg ar ei union yn ôl i'r goedwig i guddio, ond roedd arogl y bwyd yn gryfach ac yn felysach nag erioed. Cododd ei ddwylo a phwyntio at lle roedd y dynion yn tynnu a thynnu ar raffau'r babell.

'Dwi wedi dod i chwilio am waith, os oes gennych chi beth i mi,' meddai'n herciog. Cofiodd am Nic a dechreuodd anesmwytho. Beth ydw i wedi'i wneud? meddyliodd. Beth sydd wedi digwydd i Nic? Ond daeth yr ysfa am fwyd yn ei hôl, gan sgubo'r meddyliau hyn o'r neilltu. Bwyta'n gyntaf, meddwl wedyn. Dyna fyddai orau.

'Fe wna i helpu i godi'r babell. Fe wna i garthu cytiau'r ceffylau, a'u glanhau nhw fel pìn mewn papur.

A dwi ddim eisiau arian, madam.'

'Ddim eisiau arian? Sai wedi clywed hynny o'r blaen,' meddai Mrs Juglini gan wgu.

'Fe wna i unrhyw beth,' meddai Jim, ei hyder wedi diflannu'n llwyr, 'os caf i fwyd gennych chi, madam.'

Syllodd ar y garafán fach, a dechreuodd yr hiraeth godi ynddo unwaith eto. Dyna braf fyddai byw yn y garafán fach werdd gyda'r cnociwr pres ar y drws a'r simne'n chwyrlïo mwg. Gwthiodd ei ddwylo i'w bocedi. Doedd dim mwy y gallai ddweud. Rhedodd bachgen ar draws y cae at y garafán. Stopiodd yn stond a syllu ar Jim.

Aeth Madam Juglini yn ôl i fyny grisiau'r garafán. 'Antonio, dere â'r bachgen 'na i mewn.'

Dilynodd Jim Antonio i'r garafán, gan syllu ar y gobenyddion a'r llenni lliwgar, ar y tân yn llosgi'n llachar yn y stof, ac ar ddisgleirdeb a thaclusrwydd yr ystafell. Doedd e erioed wedi gweld unrhyw le a edrychai gymaint fel cartref o'r blaen. Roedd e'n ymwybodol iawn nawr o'i ddwylo brwnt a'i ewinedd du, a chyflwr carpiog ei ddillad.

Rhoddodd Madam Juglini fwyd iddo a'i wylio wrth iddo fwyta. Gwyddai beth oedd y marciau gwyn o amgylch ei lygaid yn ei olygu. Ochneidiodd. 'Mae'n mynd i fod yn ddiwrnod prysur. Mae angen gwneud gwisg ar gyfer Dyn Cryfa'r Bydysawd. Fe redodd yr un diwethaf bant gyda'r Fenyw Hedegog ac aeth e â'i wisg gydag e.' Chwarddodd ei phlant yn dawel. 'Dwyt ti'm yn gallu gwnïo, debyg?' gofynnodd i Jim.

Gallai Jim fod wedi sôn wrthi am y misoedd y bu wrthi'n gwnïo sachau yn y wyrcws, ond feiddiai e ddim, rhag ofn mai tric oedd y cyfan. Cododd ei ysgwyddau. 'Falle y gallwn i,' meddai. Chwarddodd y plant lleiaf arno. Daeth Mr Juglini i mewn, gan rwbio'i ddwylo, a mwytho gwallt Jim fel pe bai wedi hen arfer ei weld wrth ei fwrdd. Cododd cwmwl o lwch du o ben Jim a gwnaeth Antonio sioe o symud oddi wrtho gan besychu.

'Ma'r crwt 'ma eisie gwaith,' meddai ei wraig wrtho.

Eisteddodd Mr Juglini i lawr gyferbyn â Jim a syllu arno. Yna pwysodd yn nes ato.

'Nawr dwed y gwir wrtha i,' gofynnodd. 'Wyt ti wedi rhedeg i ffwrdd o adre?' Pefriai ei lygaid du drwyddo. Teimlodd Jim y dagrau'n dechrau llosgi, a cheisiodd eu rhwbio o'r neilltu.

'Ro'n i'n arfer byw ar gwch dadlwytho glo,' meddai. 'Dwi'n … dwi'n meddwl bod y capten wedi marw, syr. Dwi'n meddwl ei fod e wedi mynd yn sownd o dan … dwi'n meddwl …'

Edrychodd Madam Juglini a'i gŵr ar ei gilydd.

'Gall e wynnu'r harneisiau gydag Antonio. Mae hynny'n waith. A gawn ni weld pa mor dda y gwnaiff e fe.' Byseddodd Mistar Juglini ei fwstás cyn cerdded yn gyflym o'r garafán.

Syllodd Jim ar ei ôl. Roedd cymaint o eiriau'n ffrydio trwy ei feddwl, ond methodd ddod o hyd i'r un i'w ddweud.

21

Bachgen y syrcas

Erbyn canol dydd roedd y babell fawr wedi'i chodi, a blawd llif wedi'i wasgaru o gwmpas y cylch. Diflannodd Madam Juglini am y rhan helaethaf o'r dydd, ond dychwelodd wrth iddi dywyllu, pan oedd y llusernau'n cael eu cynnau o amgylch y cae, fel orenau melys yn hongian o goed. Pefriai'r babell yn felyn yng ngolau'r nwy. Safai Jim ac Antonio wrth gatiau'r cae yn curo drymiau, a martsiai cerddorfa'r syrcas o gwmpas y babell, y trwmpedi a'r utgyrn yn bloeddio'n groch yn y cyfnos. Hedfanai ystlumod o amgylch eu pennau fel hancesi du.

Ymhellach i lawr y lôn clywsant sŵn olwynion, a bloeddiodd plant y syrcas. 'Mae'r bobl yn dod, mae'r bobl yn dod!' Wrth fynedfa'r babell, safai Madam Juglini i gasglu'r arian gan weiddi: 'Dewch 'mlân, dewch 'mlân, dewch i weld sioe orau'r byd! Dewch i weld Ceffylau Anhygoel Arabia. Dewch i weld Madam Bombadini wrth iddi hedfan trwy'r awyr. Dewch i weld y dyn cryfaf yn y bydysawd!'

Rhedodd Jim ac Antonio i mewn i'r babell, a chropian o dan y rhesi o seddau. Penliniodd y ddau yno, eu breichiau wedi'u plethu, o dan draed diamynedd y gynulleidfa. Cwympai darnau o groen oren a chnau arnynt. Gwenodd Antonio ar Jim.

Byddai popeth yn iawn nawr. Byddai popeth yn

iawn. Heno, byddai Jim yn cysgu yn y garafán werdd gyda'r cnociwr pres, ac yfory byddai'n tynnu'r babell fawr i lawr gyda'r dynion. Byddai'n martsio gyda cherddorfa'r syrcas. Dewch 'mlân! Dewch 'mlân! Caeodd ei lygaid, gan adael i'r gerddoriaeth a'r lleisiau chwyrlïo o'i gwmpas.

Pwniodd Antonio ef yn ei ochr. Dechreuodd y drymiau guro'n uwch. Bloeddiodd y dyrfa. Rhedodd Mr Juglini i mewn i ganol y babell gan gracio'i chwip i gael tawelwch. Dechreuodd y gerddorfa chwarae'n wyllt, a charlamodd y ceffylau i mewn i'r babell, y ceffylau prydferth, pwerus, a'u cotiau'n disgleirio a'u carnau'n taranu. Craciodd Mr Juglini ei chwip eto, a chododd y ceffylau ar eu coesau ôl, ac i'r cylch hwn carlamodd ceffyl arall, gyda menyw yn sefyll ar y cyfrwy, ei sgert fwslin wedi'i chodi'n uchel. Wrth i'r dyrfa weiddi, gwyrodd hon am nôl, ei breichiau'n ymestyn, a neidiodd gan droelli yn yr awyr: 'Un, dau, tri!' gwaeddodd Mr Juglini. 'Pedwar! Pump! Chwech!' bloeddiodd y dyrfa. Drosodd a throsodd â hi, a chodi eto gan wenu. Gwaeddodd Jim a chlapio. Roedd e eisiau sefyll ar ei draed a gweiddi, 'Hwrê i Syrcas Juglini!'

Ac yna, wrth i'r ceffylau droi, gan droelli eu cynffonnau ac ymestyn eu coesau hir, gwelodd Jim rywbeth na feddyliodd y byddai'n ei weld byth eto. Cododd y llen dros fynedfa'r babell yn gyflym. Gwelodd wyneb Madam Juglini yno, yn syllu'n bryderus. Gwelodd ei llaw allan, yn barod i dderbyn ceiniog. A'r drws nesaf iddi, fel ysbryd, gwelodd wyneb arall yng ngolau gwan y llusern; wyneb sgwâr, wedi'i bardduo, a gwallt fel to gwellt ar ongl, a llygaid yn pefrio fel dwy lamp.

22

Ar ffo eto

Ymhell y tu ôl iddo gallai Jim glywed curiad y drymiau, seiniau'r trwmpedi a'r trombôns a bonllefau'r dorf. Pan arhosodd i edrych o'i gwmpas gallai weld golau'r babell fawr a chysgodion tywyll y carafannau hyd ymylon y cae. Gallai adnabod carafán Juglini yn eu plith.

Trodd unwaith eto a rhedodd tan iddo fethu rhedeg mwyach. Cyrhaeddodd at ysgubor ger ffermdy. Roedd y drws ar agor. Cripiodd i mewn yno a chyrlio'n belen mewn twmpath o wair. Wrth gwympo i gysgu, cofiodd am yr hyn ddywedodd Cochyn wrtho, amser maith yn ôl.

'Bydde'n well 'da fi gysgu mewn sgubor llawn llygod mawr, a dwi 'di gwneud 'ny ambell waith o'r blaen.'

Gwrandawodd Jim ar sŵn y traed bach o'i gwmpas. 'Wel,' meddyliodd, 'ma llygod mawr yn gwmni digon da. O leia ma nhw'n gwbod lle sy'n glyd a chynnes.'

Caniad y ceiliog ddeffrodd ef, a golau'r haul yn gwau patrwm trwy do'r ysgubor. Gorweddodd Jim yn llonydd a nerfus, yn gwrando ar sŵn gweithwyr y fferm yn ymlwybro i'r caeau. Pan ddiflannodd eu lleisiau, mentrodd allan o'r ysgubor. Casglodd ieir o'i gwmpas a diflannu'r un mor gyflym a swnllyd wedyn. Cerddodd hen fenyw yn sigledig allan o'r ffermdy gan gario dwy badell fawr. Siglodd heibio i'r ysgubor lle cyrcydai Jim yn ofnus, ei sgertiau'n ysgwyd bwyd yr ieir wrth iddyn nhw greu stŵr o gwmpas ei thraed. Aeth i mewn i'r beudy. Gallai Jim ei chlywed yn siarad â'r gwartheg, a synau trwm yr anifeiliaid.

Mentrodd allan o'i guddfan eto. Roedd yr hen fenyw wedi gadael drws y gegin ar agor. Ciledrychodd Jim i mewn. Gallai weld bara ar y bwrdd, gweddillion brecwast y dynion – pasteiod a chaws, a jwgaid mawr o laeth. Sleifiodd i mewn i'r gegin. Petai e'n gofyn i'r fenyw, falle y byddai hi'n rhoi bwyd iddo. Neu falle byddai hi'n ei gloi mewn stafell ac yn mynd i nôl Nic Seimllyd. Ni allai ymddiried yn neb byth eto. Edrychodd o gwmpas yr iard yn gyflym ac yna sleifiodd i'r gegin, gan wthio cymaint o fwyd ag y gallai i'w geg, a stwffio'i bocedi nes roedden nhw'n llawn. Clywodd wich ar y grisiau, cymerodd lwnc olaf o'r jẁg llaeth a chydio mewn un cwlffyn arall o gaws, a throdd i weld merch ar y grisiau, ei llaw wrth ei cheg. Gollyngodd y jẁg a rhedodd. Rhedodd y ferch ar ei ôl gan weiddi, a'r jẁg yn dal i dasgu llaeth ar lawr llechi'r ffermdy. Rhuthrodd yr hen fenyw allan o'r beudy, ac roedd holl gŵn y fferm yn cyfarth. Gwibiodd Jim, fel ysgyfarnog o flaen ci, i fyny'r lôn.

Doedd ganddo'r un syniad, nawr, ble roedd e. Roedd yr afon yn bell, bell i ffwrdd, a doedd dim un arwydd o bentref. Rhuthrodd coets heibio iddo a thaflodd ei hun i mewn i'r coed, gan droi ei wyneb oddi wrth y llwch a llygaid y teithwyr. Beth petai Nic Seimllyd yn un ohonynt, yn llawn dialedd?

Herciodd yn ei flaen yn araf. Roedd ei goes yn boenus iawn erbyn hyn. Pasiodd deulu o gardotwyr, yn cerddded yn droednoeth, a'u heiddo ar eu cefnau.

'O leia does dim rhaid i ti gario unrhyw beth,'

meddai Jim wrtho'i hunan. 'Ti'n lwcus o hynny.'

Roedd ei sgidiau'n fflapio wrth iddo gerdded. Roedd yr hoelion wedi cwympo allan ac roedd y gwadnau fel tafodau hir.

'Tafla nhw i'r clawdd,' meddai wrtho'i hun, ond gwyddai na fedrai wneud hynny o gwbl. Esgidiau Lizzie oedden nhw. Dyma'r unig bethau y gallai ddweud oedd yn eiddo iddo, heblaw am ei enw. Gwthiodd un i bob poced. Nawr doedd e ddim hyd yn oed yn gallu clywed sŵn ei draed ei hun. Bob nawr ac yn y man byddai'n clywed cornchwiglen yn gwichian mewn cae wedi'i aredig, neu byddai anifail bach yn siffrwd yn y gwrychoedd, gan godi ofn arno. Teimlai fel pe bai'n cerdded am byth ar hyd lonydd tawel, gyda'r awyr fawr lwyd yn ymestyn drosto. Gwrandawai'n astud ar bob peth. Dychmygai weld Nic Seimllyd yn cuddio y tu ôl i bob coeden, ei gysgod yn dawnsio bob tro y byddai Jim yn edrych o'i gwmpas, a'i chwibaniad gwawdlyd yn rhan o ganu pob aderyn.

'Caria di 'mlân, frawd,' anogai'r llais yn ei ben. 'Mae'n rhaid bod y lonydd hyn yn arwain i rywle.'

O'r diwedd daeth at arwydd. Roedd e fel rhyw ddigwyddiad hudolus. Rhedodd ei fysedd dros bob llythyren. '"DINAS LLUNDAIN". Rhaid mai dyna beth yw e,' meddai.

'Rwyt ti'n mynd adre!' sibrydodd. 'Ma Rosie'n byw yn Llundain, Jim!'

Adre. Bwytaodd ychydig o fwyd o dan yr arwydd hudolus a dechreuodd gerdded eto, yn gyflymach y tro hwn. Roedd yr haul yn machlud yn goch ar draws y caeau, ond roedd yr awyr yn dechrau troi'n fwy llychlyd. Roedd Llundain yn agos, roedd e'n sicr o hynny.

23

Cochyn eto

Roedd popeth yn dechrau dod yn gyfarwydd eto, ond rywsut roedd rhywbeth o'i le a phopeth yn wahanol. Roedd e wedi cyrraedd glan yr afon ar bwys y glanfeydd a'r warysau, ond roedd y tai wedi mynd. Gwelai ddynion yn palu a morthwylio ym mhobman, yn codi llwythi cerrig i gertiau ac yn llusgo planciau pren anferth at lan yr afon. Gwyliai Jim wrth i sgerbydau tai droi'n bentyrrau llwch, ac roedd bwthyn Rosie a'r sièd lle bu'n gwylio'r afon am y tro cyntaf wedi diflannu.

Syllodd Jim yn anghrediniol ar y dinistr o'i gwmpas. Roedd fel pe bai'r ddinas gyfan yn cael ei dymchwel er mwyn creu un newydd.

'Beth sy'n digwydd?' gofynnodd i rywun, menyw a'i hatgoffai o Rosie, gyda breichiau tew a siôl frown wedi'i lapio dros ei phen a'i hysgwyddau.

'Maen nhw'n adeiladu doc newydd yma, ar gyfer y llongau i gyd,' meddai wrtho, heb dynnu ei llygaid oddi ar y gweithwyr. 'Anhygoel, on'd yw e! Anhygoel. Maen nhw'n dweud bod dros ddwy fil o ddynion yn gweithio 'ma. Meddylia! Do'n i ddim yn gwybod bod dwy fil o ddynion yn y byd cyfan!' Chwarddodd mewn llais cras.

'Ond beth sy wedi digwydd i'r holl dai?' gofynnodd Jim iddi. 'A'r holl bobl oedd yn byw yma? Ble ma Rosie?'

Chwarddodd y fenyw eto. 'Rosie? Wi'n nabod dwsine o fenywod o'r enw Rosie, ac maen nhw i gyd wedi colli'u tai nhw nawr. Sai'n gwybod ble mae'r un Rosie wedi mynd. I rywle gwell, gobeithio.'

Crwydrodd Jim i ffwrdd oddi wrthi. Roedd hi wedi'i swyno gan y gweithwyr, a byddai'n siŵr o sefyll yno'n syllu arnynt trwy'r dydd, gan blethu ei breichiau tew a symud ei phwysau o un droed i'r llall.

'Rwyt ti ar ben dy hunan nawr, frawd. Does dim gwadu hynny. 'Sneb 'da ti.'

Doedd dim byd yn gyfarwydd i Jim nawr. Roedd e ar goll yn llwyr. Roedd e wedi arfer cymaint gyda thaith araf y *Lili* a chwmni tawel Nic fel ei fod wedi anghofio sut beth oedd byw yn y ddinas gyda'i strydoedd brwnt a'r gwthio a'r drewdod parhaol. Crwydrodd y strydoedd, gan obeithio cael cip ar Rosie eto. Gwelodd un fenyw yn gwerthu bwyd môr, a rhedodd ati er mwyn gofyn iddi a oedd hi eisiau help.

'Help?' chwarddodd lawr arno. 'Beth elli di wneud drosta i, 'ngwas bach i?'

'Fe allwn i ddawnsio i ti, a gweiddi "Corgimychiaid!"' meddai wrthi. 'Byddai pawb yn dod i brynu oddi wrthot ti. Ro'n i'n arfer gwneud hynny i Rosie.'

'Ac unwaith y bydden nhw'n dod, mi fyddet ti'n dwyn yr arian o'u pocedi, a dyna ddiwedd ar y ddau ohonon ni,' meddai'r fenyw. 'Dim gobaith. Nawr ffwrdd â thi!'

Symudodd Jim oddi wrthi, ac yna dechreuodd ddawnsio, gan daflu cipolwg arni i wneud yn siŵr ei bod yn gwylio. Ond roedd y ddawns yn un ddigalon. Roedd e'n teimlo'n drist ac yn llwglyd. Doedd e ddim yn teimlo fel dawnsio o gwbl, roedd fel petai popeth yn ddu y tu mewn iddo, o'i gorun i'w sawdl, yn ddu gan anobaith. Ysgydwodd y fenyw ei phen a cherdded i ffwrdd.

'Gawn ni gorgimychiaid gennych chi, Miss?' galwodd bechgyn y stryd ar ei hôl yn eu lleisiau uchel, cwynfanllyd, ond dim ond eu hanwybyddu wnaeth hi.

Cyrcydodd Jim yn drist, a daeth bachgen i eistedd yn ei ymyl.

'Rwyt ti'n f'atgoffa i o Jim bach y dawnsiwr,' meddai'r bachgen. 'Ro'dd e'n arfer dod rownd ffor hyn.'

Edrychodd Jim arno. 'Dwyt ti ddim yn 'nabod bachgen o'r enw Cochyn, wyt ti?'

'Wrth gwrs bo' fi!' chwarddodd y bachgen. 'Ma pawb yn 'nabod Cochyn.'

'Wyt ti'n gwbod ble ma' fe?' gofynnodd Jim.

Neidiodd y bachgen ar ei draed a rhedeg i ffwrdd, a dilynodd Jim ef cystal ag y medrai, gan osgoi stondinau a whilberi'r holl ffordd draw i gefn y farchnad. Roedd hi'n dechrau nosi, ac roedd canhwyllau coch wedi'u gosod ar ambell i stondin, rhwng y ffrwythau a'r pysgod. Cydiodd y bachgen mewn afalau wrth iddo basio un stondin, a gwnaeth Jim yr un fath. Gafaelodd y ddau mewn cawsiau a phasteiod, gan daflu popeth i gap y bachgen, nes bod hwnnw'n orlawn. Roedd Jim yn llawn bywyd eto. Doedd e ddim yn gallu credu ei fod yn mynd i weld Cochyn eto, wedi'r holl amser. Gwyddai i'r dim mai llais Cochyn fu'n ei gynghori dros y misoedd diwethaf.

'Aros di nes 'mod i'n dweud wrthyt ti be dwi wedi'i wneud!' meddyliodd wrth redeg. 'Prin fyddi di'n credu dy glustiau!'

Yng nghefn y farchnad roedd yna bentwr o focsys

pren oedd wedi dal te o'r India a pherlysiau o Zanzibar, a gwthiodd y bachgen bach trwyddyn nhw. Arhosodd wrth un bocs ben i waered oedd yn llawn gwellt. Ar ben y gwellt, yn ddwfn yng nghysgodion y bocs, roedd ysbryd tenau o fachgen. Doedd e'n fawr mwy na bwndel o esgyrn mewn dillad.

'Dyma Cochyn,' meddai'r bachgen wrth Jim. 'Ond ma fe'n sâl iawn nawr. Yn sâl iawn.'

Gwagiodd y bwyd o'i gap. ''Co ti, Cochyn,' meddai. 'Tamed bach i'w fwyta, fel nes i addo. Ond alla i ddim aros, ma gwaith i'w wneud. A ma rhywun wedi dod i dy weld ti.' Amneidiodd ar Jim i ddod i mewn i'r bocs yn ei le, ac yna rhedodd i ffwrdd eto.

Cropiodd Jim rhwng y cratiau.

'Cochyn?' meddai Jim. Teimlai'n chwithig ac yn swil. 'Jim Bach y Dawnsiwr sy 'ma. Ti'n cofio?' Wnaeth y bachgen ddim ateb. Gallai Jim glywed ei anadl yn crafu trwy'i ysgyfaint.

'Wyt ti'n iawn?' Prin y gallai weld ei ffrind, heblaw am y darnau gwallt oren uwchben ei wyneb gwyn. Sylwodd ar ei fysedd gwyn yn ymdrechu i dynnu ei sach at ei wyneb. Penliniodd Jim wrth ei ymyl a thorri oren ar agor gyda'i fysedd. Gwasgodd y sudd i geg Cochyn.

'Pan fyddi di'n well,' meddai Jim, 'fe ewn ni o gwmpas 'da'n gilydd, yn union fel dwedest ti.'

Ceisiodd gadw ei lais yn siriol, ond teimlai'n ofnus iawn. Eisteddodd yno am amser maith yn gwrando ar anadl Cochyn yn crafu a chrynu yn ei wddf. Parhaodd synau'r farchnad yn hwyr i'r nos, ac ymhell cyn i'r farchnad dawelu, cropiodd Jim i mewn i'r bocs a gorwedd wrth ochr Cochyn er mwyn ceisio ei gadw'n gynnes.

24

Chwilio am ddoctor

Y bore canlynol aeth Jim i chwilio am sachau a gwair er mwyn gwneud Cochyn yn fwy cyfforddus. Llwyddodd i'w godi ar ei eistedd fel ei fod yn gallu bwyta'n haws. Ond dim ond y tameidiau lleiaf a fwytaodd y bachgen.

'Cochyn,' meddai Jim yn anesmwyth. 'Be ddigwyddodd i ti?'

'Henaint, frawd.'

Yn ei galon, ofnai Jim mai'r colera oedd arno. Gwyddai fod llawer o bobl yn marw o hwnnw.

'Be ddigwyddodd i ti go iawn, Cochyn?'

'Ges i grasfa, on'd do fe? Rhoddodd yr hen ŵr 'ma gini i fi. Ro'dd e siŵr o fod yn meddwl ma ffyrling o'dd e, ond fe roddodd e gini i fi. Falle ei fod e wedi cymryd ffansi at fy wyneb pert i.'

'Wi'n dy gredu di.'

'A ges i fy nilyn i lawr y lôn fach 'ma. Dwedodd rhyw foi 'mod i wedi dwyn y gini gan yr hen ddyn a bod rhaid i fi ei roi nôl. A phan wedes i nad o'n i wedi gwneud, fe ddechreuon nhw 'mwrw i a 'nghicio i fel doli glwt. Ond do'n i ddim yn mynd i roi'r gini nôl, nago'n i? Anrheg o'dd e. Bydde'n well 'da fi roi e i Mam na'r dynion 'na. Felly fe roies i'r peth dan 'y nghesel i. Beth bynnag, ma'n rhaid eu bod nhw wedi 'mwrw i'n anymwybodol. Pan ddihunes i ro'dd fy siaced i wedi mynd, a'r gini. A'r careiau 'fyd. Felly da'th y bechgyn â fi yma i fan hyn. Fy nghario i.'

'Dylet ti fod wedi mynd i'r ysbyty.'

Dechreuodd Cochyn fynd i banig wedyn. 'Sai mo'yn mynd i'r ysbyty. Sai mo'yn mynd i'r ysbyty.' Roedd cymaint o ofn arno fel y ceisiodd ddianc o'r bocs, gan daro'r dŵr roedd Jim wedi dod iddo.

'A' i ddim â ti i fyn'na,' addawodd Jim iddo. 'Ddim os nad wyt ti eisie hynny.'

Ar ôl tipyn aeth Cochyn nôl i gysgu. Roedd ei wylio yn codi ofn ar Jim. Roedd yn ei atgoffa o sut roedd ei fam. Ofnai ei adael, ond roedd hefyd yn ofni bod gyda fe. Pan ddihunodd Cochyn eto dechreuodd besychu mor ddrwg roedd fel pe bai ei gorff ar fin torri yn ei hanner. Pwysodd yn ôl wedi i'r pwl peswch orffen, wedi ymlâdd.

'Wi'n credu bo fi wedi llyncu pry, Jim,' meddai. 'Siŵr o fod wedi cysgu gyda 'ngheg ar agor.'

Wrth iddo gwympo i gysgu eto soniodd Jim wrtho am dad-cu Rosie ac am Nic Seimllyd a Sneip. Dywedodd wrtho am y noson erchyll pan oedd yn meddwl ei fod wedi lladd Nic, ac am y syrcas, ac am ymddangosiad Nic yn y babell fawr.

'Ma ysbrydion i fod yn wyn a thenau, ddim yn ddu fel y glo gyda llygaid tanllyd,' chwarddodd Cochyn.

Pan gwympodd i gysgu eto, aeth Jim i chwilio am fwyd a chymorth. Taflodd un o'r stondinwyr fresychen ato, a daliodd hi cyn iddi'i fwrw. 'Diolch, Mistar!' gwaeddodd. Rhedodd yn ôl i'r cratiau gyda'r fresychen, torrodd ychydig o bren o'r cratiau i wneud tân, a'r noson honno ymbiliodd am fatsien oddi wrth y gofalwr nos. Rhedodd yn ôl i'r cratiau gyda'r fflam yn llosgi a choginiodd y fresychen yn y pot dŵr ar y tân. Bwytaodd yn dda'r noson honno, a llwyddodd Cochyn i lyncu ychydig o'r cawl dyfrllyd.

'Ro'dd honna'n wledd, Jim,' meddai, gan dorri gwynt yn dawel a gorwedd yn ôl. Roedd ei wyneb yn llawn cysgodion yng ngolau'r tân. 'Byddai'n teimlo'n well cyn hir.'

Ond wnaeth Cochyn ddim gwella. Roedd wedi llwgu'n rhy hir. Doedd Jim ddim yn gwybod sut i'w helpu. Daeth â gwair ffres iddo orwedd arno, ond yr unig beth y medrai ei wneud oedd rholio'r gwair oddi tano. Ofnai Cochyn y byddai'r heddlu'n dod o hyd i'w cuddfan a gorfododd Jim i godi mwy a mwy o'r bocsys o'u cwmpas. Roedd y nosweithiau'n oer ofnadwy, a'r haul mor wan yn ystod y dydd fel nad oedd y dyddiau fawr gwell. Roedd y gaeaf wedi cyrraedd.

Gofynnodd Jim i bob un o'r gwerthwyr ffrwythau am gymorth. Daeth rhai o'r menywod draw i syllu ar Cochyn, ond roedden nhw wedi gweld sawl plentyn yn yr un cyflwr o'r blaen. Daeth bechgyn y stryd â bwyd iddo, ond roedd e'n rhy wan i'w fwyta.

'Doctor sy eisie arno fe,' meddai un o'r menywod.

'All e ddim mynd i'r ysbyty. Dwi wedi addo,' meddai Jim. Roedd dirfawr angen cymorth arno. Oedd unrhyw un yn poeni? 'Ma e'n ofni mynd i'r wyrcws.'

Cytunodd y fenyw. ''Sdim unman arall iddo fe,' meddai, gan droi ei chefn ar y bocs a rhwbio'i breichiau rhag yr oerfel. 'Heblaw am fedd y tlotyn, a bydde hynny'n fendith iddo fe.' Roedd hi'n cerdded i ffwrdd yn barod wrth ddweud hynny.

Ceisiodd Jim fegera am arian. Safodd y tu allan i'r theatrau ble'r arferai Cochyn werthu ei gareiau i bobl gyfoethog. 'Os gwelwch yn dda,' dywedai wrth y dynion a'r menywod oedd yn camu o'r coetsys, 'mae 'mrawd i'n sâl iawn. Alla i ga'l arian i gael doctor?' Ond bydden nhw'n troi i ffwrdd oddi wrtho, fel pe baent heb ei weld. Pan ddychwelodd at Cochyn wnaeth e ddim ymdrech i'w gael i fwyta. Rhoddodd ychydig o ddŵr ar ei wefusau. Agorodd Cochyn ei lygaid.

''Na ti gwrw ffein yw hwnna,' sibrydodd, a chwympodd i gysgu'n syth wedyn.

Un noson, aeth Jim i'r ciw y tu allan i'r theatrau eto, ond y tro yma, wnaeth e ddim gofyn am arian. Dawnsiodd a sgipiodd yn lle hynny, a phan welsant nad oedd yn gofyn am arian, a pha mor ysgafn oedd e'n dawnsio, dechreusant gymryd sylw ohono. Roedden nhw'n gallu gweld y graith ddofn ar ei goes trwy'r tyllau yn ei drowsus, ond dawnsiodd Jim gystal ag y gwnaeth erioed. Pan oedd nifer o bobl wedi ymgasglu o'i gwmpas, stopiodd a chlapio'i ddwylo.

'All rhywun roi enw doctor i mi, os gwelwch chi'n dda?' gwaeddodd. 'Un fydd ddim yn codi tâl.'

Atebodd neb mohono. Agorodd drysau'r theatr a heidiodd pawb i mewn yno, gan anghofio amdano.

Galwodd y fenyw â'r cert coffi arno i ddod draw, a rhoddodd gwpanaid o goffi i Jim er mwyn ei gynhesu.

'Weles i ti'n sgipio,' meddai. 'Shwt ma'r ffrind 'na sy 'da ti? Odi e'n dal yn wael?'

Nodiodd Jim. Byddai wedi hoffi cario'r mygiad coffi yn ôl at ei ffrind, ond roedd yn gwybod na fyddai hynny'n helpu dim. Llyncodd Jim y coffi'n gyflym. 'Wi'n chwilio am ddoctor iddo. Dy'ch chi ddim yn gwbod am un, ydych chi? Un sy ddim yn codi tâl. Gallwn i weithio iddo fe.'

Crychodd ei thalcen. 'Ma 'na ddoctor o ryw fath ddim yn bell o fan hyn. Ond dwi ddim wedi clywed amdano'n gweithio fel doctor. Barnie, neu rywbeth, ma nhw'n ei alw fe. Ma'r plant sy'n byw drws nesa i mi yn mynd i'w ysgol e.'

'Ysgol? Sai mo'yn mynd i unrhyw ysgol.' Cofiodd Jim am ysgol y wyrcws, yr ystafell uchel, y bechgyn yn dawel a'r athro'n cerdded yn dalog.

'Yr Ysgol Garpiog. Glywaist ti ddim amdani hi?' holodd y fenyw. Arhosodd i weini ar gwsmer, gan roi wyau wedi'u piclo a choffi iddyn nhw. ''Na gyd wi'n gwbod yw ei fod yn rhywle lle ma plant yn cael mynd os nad oes ganddyn nhw arian i dalu am yr ysgol. Ma nhw'n gweddïo lot 'na.'

Unwaith eto cofiodd Jim am yr ysgol gyda'r bwâu wedi'u paentio. Mae Duw yn dda, mae Duw yn sanctaidd, mae Duw yn deg. Duw cariad yw. Gallai glywed lleisiau'r bechgyn yn llafarganu wrth iddyn nhw ei adrodd bob diwrnod.

'Na,' meddai gan ysgwyd ei ben. 'Fydden i ddim yn mynd yno, Miss. Dim byth.'

'Plesia dy hunan,' meddai hithau. 'Dyna'r unig ddoctor y gwn i amdano.'

Gwaethygodd Cochyn yn ystod y nos. Roedd e'n boeth ac yn chwysu, ac er ei fod yn wan, roedd e'n pesychu trwy'r amser. Rhoddodd Jim ei law o dan ben ei ffrind er mwyn ei godi. Tynnodd y gwellt o'r ffordd er mwyn gwthio rhagor o wellt ffres oddi tano, a sylwodd fod smotiau gwaed ar y gwellt.

25

Yr Ysgol Garpiog

Yn gynnar y bore canlynol, arhosodd Jim i'r fenyw goffi gyrraedd gyda'i chert. Pan welodd hi'n ei llusgo trwy'r llaid, rhedodd i gwrdd â hi.

'Mae e'n waeth,' meddai â'i wynt yn ei ddwrn. 'Allwch chi ddod draw ato?'

'Alla i ddim gadael fy stondin,' meddai hithau wrtho. 'Os na fydda i yma i roi brecwast i'r gweithwyr cynnar, mi fydda i wedi colli fy nghwsmeriaid gore.'

'Os allwch chi ddweud wrtha i ymhle ma'r ysgol honno, fe af i yno.'

'Ma' hi rownd ffor hyn yn rhywle. Draw fan acw. Rhywle o gwmpas Stryd Ernest.' Ysgydwodd y fenyw ei braich yn annelwig. Teimlai drueni dros y bachgen, ond roedd digon tebyg iddo. Bechgyn tenau, llwyd, diniwed. Roedd y strydoedd yn llawn ohonyn nhw. Pe bai hi'n rhoi help i un ohonyn nhw, byddai pob un yn dod ar ei gofyn, ac roedd ganddi ei phlant ei hun i'w bwydo. Os na allai dalu'r rhent, yna byddai pob un ohonyn nhw ar y stryd. Pob un ohonyn nhw yn yr un cyflwr â Jim. Doedd hi ddim eisiau dychmygu'r peth. Roedd yn rhaid iddi rygnu ymlaen.

Rhedodd Jim yn ei flaen. Gwaeddodd sawl bachgen ar ei ôl, 'Shwt ma Cochyn?' ond atebodd Jim mohonynt. Fedrai'r un plentyn helpu Cochyn nawr.

'Wyt ti'n gwbod ble ma'r Ysgol Garpiog?'

gofynnodd i un, bachgen anabl o'r enw Tomi, oedd dipyn yn hŷn na'r gweddill ohonynt. Ysgydwodd Tomi ei ben.

'Wi wedi clywed amdani,' meddai. 'Ro'dd 'na ddyn gydag asyn yn arfer chwilio'r strydoedd am fechgyn i fynd i'w ysgol. Ro'n ni'n arfer twlu tomatos ato fe. Ysgol!' Poerodd allan o gornel ei geg. 'Sai'n hoffi 'run ohonyn nhw.'

Llwyddodd Jim i berswadio menyw i roi ychydig o laeth iddo a rhedodd yn ôl at Cochyn gyda fe, gan wlychu ceg y bachgen. Roedd ei wallt yn dywyll gan chwys, ond roedd e'n oer.

'Gad i fi fynd â ti i ysbyty, Cochyn,' plediodd, ond ysgydwodd hwnnw ei ben.

'Wi'n iawn – lle bach neis yw'r bocs 'ma. Fel palas.'

Daeth Tomi ag ychydig o'r bechgyn iau i weld Cochyn, a gadawodd Jim ef yn eu gofal a sleifio i ffwrdd eto. O'r diwedd, pan oedd hi bron yn dywyll, daeth ar draws grŵp bychan o blant – mae'n rhaid mai brodyr a chwiorydd oedden nhw gan eu bod mor debyg. Roedden nhw'n cerdded trwy stryd gefn gyda'i gilydd, ac roedd rhai ohonynt yn dal llechi. Roedd eu dillad yn garpiog, ond roedd yn amlwg fod ganddynt gartref i ddychwelyd iddo.

'Odych chi wedi bod i'r Ysgol Garpiog?' gofynnodd Jim wrthynt.

Nodiodd un ohonynt.

'Oes 'na ddoctor yno?'

Edrychodd y plant ar ei gilydd. 'Wedodd y boi Barnie 'na mai doctor o'dd e, on'd do fe?'

'Ti'n iawn. Ond dyw e ddim yn rhoi moddion i ni nagyw e? Dim ond emynau!'

Dechreuodd un o'r plant ganu, a chwarddodd y gweddill.

'Ble mae'r ysgol?'

Rhedodd y plentyn hynaf yn ôl gyda Jim a phwyntio at adeilad hir fel sièd. 'Dacw hi,' meddai. 'A dacw'r boi Barnie 'na, yn dod mas nawr.'

Rhedodd Jim nerth ei draed i lawr y stryd. Caeodd y dyn ddrws y sièd a dechrau cerdded yn gyflym i'r cyfeiriad arall.

'Doctor Barnie!' gwaeddodd Jim, ond boddwyd ei lais gan sŵn olwynion coets. Gwasgodd yn erbyn adeilad er mwyn gadael i'r goets basio. Cododd y doctor ei law wrth i'r goets gyrraedd ato ac arafodd y gyrrwr ei geffyl. Dechreuodd Jim redeg eto. 'Doctor!' gwaeddodd. 'Doctor!'

Ond chlywodd y dyn mohono. Dringodd i'r goets ac roedd wedi gadael erbyn i Jim ei gyrraedd. Tasgodd y mwd o'r olwynion i'w wyneb.

Pan gyrhaeddodd Jim yn ôl i'r cratiau y tu ôl i'r farchnad roedd y bechgyn eraill wedi gadael. Roedd rhywun wedi cynnau cannwyll fechan mewn bowlen, ac roedd ei golau ysgafn yn cynnig rhyw fath o gysur yn yr oerfel. Cropiodd Jim i mewn a swatio wrth ymyl Cochyn.

'Ma popeth yn mynd i fod yn iawn nawr,' sibrydodd. 'Dwi wedi dod o hyd i ddoctor, ac ma fe'n dod i dy weld ti fory.'

Ond hyd yn oed wrth iddo siarad, teimlai'r geiriau'n drwm yn ei wddf, fel cerrig. Estynnodd a theimlo am law'r bachgen. Roedd hi'n oer.

26

Hwyl i ti, frawd

Cymerodd Samuel, y gofalwr nos, gorff Cochyn a'i roi yn ei sièd fechan. Gosododd ganhwyllau o'i gwmpas, ac wrth i fechgyn y stryd glywed am ei farwolaeth, daethant yno i gael golwg arno. Roedden nhw'n dod mewn grwpiau a sefyll yn y drws, heb fentro dod i mewn, a chyn bo hir roedden nhw'n rhedeg i ffwrdd eto.

Eisteddodd Jim â'i ben yn ei ddwylo trwy'r dydd. Gafaelodd Samuel yn ei ysgwydd.

'Wi'n meddwl y bydd yn rhaid i ti fynd, Jim Bach y Dawnsiwr,' meddai wrtho. 'Byddan nhw'n dod â chert y tlodion i nôl corff Cochyn cyn bo hir, ac os gwelan nhw di yma, rwyt ti'n gwybod beth fydd dy hanes di.'

Doedd dim gwahaniaeth gan Jim. Roedd e hyd yn oed yn teimlo y byddai'n dda cael bod nôl yn y wyrcws. Byddai'n gweld Joseff eto, a Tip. Byddai ei fywyd yn drefnus, byddai'n bwyta'n rheolaidd ac yn cael cysgu mewn gwely. Fyddai dim rhaid iddo redeg i ffwrdd oddi wrth unrhyw un, na chuddio, na dwyn bwyd. Ond meddyliodd wedyn am y bobl wallgof yn crochlefain, ac am y bechgyn oedd am ddianc yn cael eu cloi yn y caets, ac am y plant oedd yn llefain yn y nos, am y coridorau hir, a sŵn yr allweddi yn y cloeon. Roedd yn well gan Cochyn farw na mynd yn ôl yno. Wel. Byddai yntau'n gwneud yr un dewis.

Aeth Samuel allan i gyhoeddi ei bod hi'n chwech o'r gloch ar gorneli'r strydoedd. Edrychodd Jim yn gyflym o gwmpas y sièd fechan am y tro olaf; edrychodd ar y canhwyllau pŵl, ac ar y corff wedi'i lapio mewn sach. Tynnodd ei esgidiau allan o'i bocedi. Roedden nhw'n ddarnau mân.

'Hwyl i ti, frawd,' meddai. Rhoddodd yr esgidiau i lawr wrth ochr y sach, a sleifiodd allan i'r nos.

Doedd ganddo ddim un syniad ble i fynd nawr. Gwyddai na fedrai fyw yn y cratiau mwyach, ddim heb Cochyn. Safodd yn crynu gan oerfel yn nrws rhyw siop tan iddo weld plismyn yn dod, yna rhedodd ar draws y stryd. Roedd hi'n hawdd cuddio yn y tywyllwch rhwng y lampau, ond allai e ddim aros yno trwy'r nos. Roedd hi'n rhy oer i sefyll yn stond, ac yn rhy fwdlyd i eistedd ar lawr. Am y tro cyntaf, dechreuodd bendroni ynghylch lle roedd bechgyn eraill y stryd i gyd yn cysgu. Cofiodd beth oedd un o'r bechgyn wedi'i ddweud wrtho:

'Do'dd e ddim yn ddigon cryf i ddringo lan gyda ni, felly fe ddaethon ni â fe i'r fan 'yn.'

Dringo? meddyliodd Jim. Dringo i ble?

Ymlwybrodd o gwmpas y farchnad i'r cefn at y cratiau. Dim byd. Doedd dim byd i'w weld. Ond eto, tybiai ei fod yn clywed sŵn sibrwd a checru tawel, fel sŵn adar. Safodd yn stond. Roedd y sŵn yn union uwch ei ben. Edrychodd o'i gwmpas yn gyflym. Doedd neb yn y golwg. Rhedodd draw at y wal oedd yn ffurfio wal gefn y farchnad a thynnodd ei hun i fyny arni fesul tipyn, gan ddringo'n llafurus tan iddo lwyddo i gyrraedd y to. Safodd ar ei draed yn araf, gan syllu draw ar y tarpolin oedd yn gorchuddio'r farchnad. I bob cyfeiriad roedd yna fwndeli du, fel pentyrrau o ddillad carpiog, ond wrth iddo sefyll yn llonydd a chyfarwyddo gyda'r tywyllwch newydd, gwelai mai bechgyn oedd y bwndeli yma, pob un wedi swatio am y noson yn ei gartref ar y to.

27

Barnie

Doedd dim cysur yno. Gyda'r nos byddai'r gwynt yn chwipio o gwmpas y bechgyn yn ddidrugaredd. Pan fyddai'n glawio, bydden nhw'n gwlychu at eu crwyn. Weithiau, byddai'n cymryd diwrnodau iddynt sychu. Byddai Jim yn gorwedd yno, yn syllu ar y sêr ac yn gwrando ar anadlu'r bechgyn eraill. 'Nid cartref yw hwn,' meddai wrtho'i hun.

Pan fyddai'r bore niwlog yn cyrraedd, byddai'r bechgyn yn rowlio i lawr y wal er mwyn bod yn effro rhag y plismyn, ac yn ceisio ennill ychydig o geiniogau er mwyn gallu fforddio lle i aros dros nos. Roedden nhw'n bwyta pryd bynnag yr oedd bwyd ar gael, yn sleifio darn o gaws o'r fan hyn, neu grwstyn pastai o'r fan draw. Pe bydden nhw'n cael eu dal, anfonid nhw i'r llys ar eu hunion ac yna i'r wyrcws. Doedd Jim ddim yn symud mor gyflym â gweddill y bechgyn oherwydd ei goes, a'r unig waith y medrai feddwl amdano oedd dawnsio a sgipio o flaen cynulleidfaoedd y theatrau. Roedd hynny'n gwneud i ambell berson wenu. Byddai'r bechgyn eraill yn gweithio mewn gangiau pan oedden nhw'n dwyn, gan basio'r sgarff neu'r pwrs mor gyflym rhyngddynt nes ei bod hi'n amhosib gwybod beth oedd yn digwydd. Ym marn Jim, roedden nhw fel un teulu mawr, yn gymorth i'w gilydd. Ond doedd e ddim yn un ohonynt. Roedden nhw'n tueddu i'w adael ar ei ben ei hun.

Un bore, pan ddihunodd yn wlyb sopen ac yn pesychu a chrynu oherwydd yr oerfel, roedd e'n gwybod ei fod wedi cael digon.

'Os ei di 'mlân fel hyn, byddi di'n cyrraedd i'r un lle â Cochyn,' meddai wrtho'i hun. 'Ma'n rhaid bod rhywbeth gwell na hyn, frawd.'

Dyna pryd y cofiodd am yr Ysgol Garpiog. Meddyliodd am y sièd hir lle cynhelid yr ysgol.

'Mae'n rhywle i gadw'n gynnes,' meddyliodd. 'Ac ro'dd y boi Barnie 'na'n edrych yn olreit. Wnaiff e ddim dy fwrw di, o leiaf.'

Penderfynodd roi cynnig arni, am ddiwrnod, beth bynnag. Cerddodd y strydoedd nes iddo ddod o hyd i'r sièd. Roedd plant yn tyrru o gwmpas y drws pan gyrhaeddodd, yn aros i gael mynediad. Ystafell fawr oedd y sièd, gyda phrennau wedi'u gosod ar bridd fel llawr. Roedd y waliau a'r nenfwd wedi'u paentio'n wyn o ryw fath, ac roedd 'na fariau ar draws y ffenestri. Roedd yna dân da yn llosgi yn y grât. Nesaodd Jim at y gwres. Roedd bron i gant o blant yno, siŵr o fod. Roedden nhw'n eistedd mewn rhesi, ond roedd cymaint ohonyn nhw yno nes bod rhaid i rai eistedd ar lawr.

Syllodd Jim o'i gwmpas, yn gwrando ar y sgwrsio, a sylwi ar y modd y tawelodd y lleisiau pan gododd yr athro ar ei draed i siarad â nhw yn ei ffordd addfwyn, hamddenol. Roedd e'n ddyn tal a thenau, gyda gwallt brown syth, barf fechan a sbectol. Sylweddolodd Jim ar unwaith mai'r dyn yr oedd Betsi Gloff wedi'i dynnu i'w weld yn siarad yn y stryd gefn oedd hwn. Cofiodd weiddi arno, a sut roedd rhai o'r bechgyn wedi taflu peli o fwd ato. A chofiodd lygaid trist y dyn. Gostyngodd ei ben, gan boeni y byddai'r dyn yn ei 'nabod ac yn ei daflu allan o'r ysgol.

Ond roedd e'n gallu gweld nad oedd y plant yn ofni'r dyn. Doedden nhw ddim yn gwyro oddi wrtho rhag ofn iddo eu bwrw. Roedden nhw'n ei alw'n 'Athro', ac roedden nhw'n gwneud popeth yr oedd e'n ei ofyn, er eu bod yn clebran yn dawel ac yn chwerthin weithiau, fel pe baent yn methu canolbwyntio am hir iawn. Doedd dim gwahaniaeth gan yr athro. O dro i dro, byddai'n edrych ar Jim, ond byddai Jim yn plygu ei ben neu'n troi i edrych y ffordd arall.

Ar ddiwedd y dydd, gofynnodd y dyn i'r plant godi a gweddïo gyda fe, ac unwaith eto, edrychodd Jim i ffwrdd. Fe oedd yr unig blentyn oedd yn dal ar ei eistedd, ond doedd dim gwahaniaeth gan y dyn. Gorffennwyd y diwrnod gydag emyn, a chanodd y plant yn uchel a hwyliog cyn cael eu hanfon adre.

Arhosodd Jim wrth y tân, yn gobeithio na fyddai neb yn sylwi arno. Gorffennodd y dyn Barnie sythu'r meinciau a glanhau'r bwrdd du cyn cerdded draw at Jim. Gwasgodd Jim ei ddwylo'n dynn at ei gilydd, gan syllu arnynt. Roedd yn barod i redeg pe byddai'r dyn yn ei fwrw. Ond wnaeth e ddim. Yn lle hynny, eisteddodd i lawr wrth ochr Jim a thwymo'i ddwylo wrth y tân.

'Mae'n bryd imi chwythu'r goleuadau mas,' meddai yn ei lais mwyn.

Ni symudodd Jim.

'Dere 'mlân, 'machgen i,' meddai Barnie. 'Mae'n amser mynd adre nawr.'

Caeodd ac agorodd Jim ei ddyrnau. Roedd llais meddal y dyn yn gwneud iddo fod eisiau llefain.

Safodd y dyn ar ei draed. 'Dere nawr. Well i ti fynd adre ar unwaith.'

Ceisiodd Jim siarad. 'Os gwelwch chi'n dda, syr. Ga i aros?'

'Aros?' Syllodd y dyn i lawr arno. 'I beth? Dwi'n mynd i ddiffodd y golau a chau'r drws. Mae'n hen bryd i fachgen ifanc fel ti fynd adre i'r gwely. Pam wyt ti eisiau aros?'

'Plîs, syr,' meddai Jim, heb edrych ar y dyn ond yn hytrach ar fflamau'r tân, oedd yn gwneud i'w lygaid ddyfrio.

'Mi ddylet ti fynd adre ar unwaith,' mynnodd Barnie. 'Bydd dy fam yn gwybod bod y bechgyn eraill wedi gadael. Bydd hi'n poeni beth sy wedi dy gadw di.'

''Sdim mam 'da fi.'

'Dy dad felly.'

''Sdim tad 'da fi chwaith.'

Roedd Barnie'n dechrau colli'i amynedd, gallai Jim weld hynny. Roedd e fel pe bai'n ei amau. 'Ble mae dy ffrindiau di 'te? Ble wyt ti'n byw?'

''Sdim ffrindie 'da fi. Sdim unman 'da fi i fyw.'

Syllodd Barnie arno. Cerddodd oddi wrth y tân ac yna'n ôl ato eto, yna aeth at y ddesg. Eisteddodd yn ei gadair a churo'i fysedd ar y bwrdd pren, gan wneud sŵn fel glaw ar do. Tybed a oedd e'n grac gydag e? meddyliodd Jim.

'Dyna'r gwir, syr,' meddai'n bryderus. 'Sai'n dweud celwydd.' Siaradai yn y llais uchel, cwynfanllyd yr oedd bechgyn eraill y stryd yn ei ddefnyddio gydag oedolion.

'Dwed wrtha i,' meddai'r dyn o'r diwedd. 'Faint o fechgyn sy 'na fel ti? Yn cysgu ar y strydoedd?'

'Cannoedd,' atebodd Jim. 'Mwy nag y galla i gyfri.'

Tro Barnie oedd hi i syllu i'r tân nawr, fel pe bai'r

fflamau'n cadw cyfrinachau mawr, neu atebion i gwestiynau mwyaf dyrys y byd efallai. Roedd e mor llonydd a thawel edrychai fel rhywun yn cysgu, ac roedd Jim yn ofni gwneud sŵn rhag ofn iddo darfu ar feddyliau'r dyn. Yr unig sŵn i'w glywed oedd sŵn y fflamau'n llosgi'r coed, ac udo'r gwynt y tu allan.

'Nawr 'te,' meddai'r dyn yn araf, fel person yn ceisio dal aderyn. 'Os ydw i'n fodlon rhoi coffi cynnes i ti a rhywle i gysgu, fyddet ti'n fodlon mynd â fi i ble bynnag mae'r bechgyn eraill yma'n cysgu?'

Edrychodd Jim arno trwy gil ei lygaid. 'Wnewch chi ddim dweud wrth yr heddlu?'

'Na,' atebodd Barnie. 'Wna i ddim dweud wrth yr heddlu.'

'Iawn,' meddai Jim. 'Fe af i â chi.'

Beth amser yn ddiweddarach, cyrhaeddodd y ddau at wal uchel y farchnad. Stopiodd Jim, yn ofnus eto. Beth pe bai Barnie'n dweud wrth yr heddlu, a danfon y bechgyn i gyd i'r wyrcws? Ond os na fyddai'n dangos i Barnie, fyddai e ddim yn cael bwyd cynnes a lle i gysgu. Doedd e ddim yn gwybod beth i'w wneud. Ymddangosai fel pe bai Barnie yn deall hynny, ac arhosodd yn dawel a gwylio wrth i Jim edrych yn gyflym o'r naill ochr i'r llall, yn ofni rhag i neb ei weld yng nghwmni'r dyn hwn. Roedd e bron â bod wedi penderfynu y byddai'n rhedeg i ffwrdd a gadael y dyn yn sefyll yno pan ofynnodd hwnnw, 'Beth yw dy enw di?'

'Jim, syr.' Daeth e allan fel'ny, ac roedd e'n swnio'n beth sbesial iawn. 'Dyna ni nawr,' meddyliodd Jim wrtho'i hun. 'Dyna'r peth olaf sy 'da fi, a dwi newydd ei roi e i'r dyn 'ma.'

‘Ble maen nhw, Jim?’

‘Lan fyn’na, syr.’ Pwyntiodd Jim at do sièd y farchnad.

‘Fyn’na? A sut gyrhaedda i fyn’na?’

‘Ddangosa i i chi.’ Dringodd Jim fel cath. Roedd y cerrig wedi torri mewn mannau a thynnodd Jim ei hun i ben y to mewn chwinciad. Pwysodd dros yr ochr, gan estyn ffon allan i’r dyn. Cydiodd Barnie ynddi, a thynnu ei hun i fyny. Safodd yn sigledig, gan sythu ei ddillad. Cododd ei lusern.

Ac yno, o’i amgylch ym mhobman, gorweddai’r bechgyn wedi cyrlio yn eu sachau carpiog, yn cysgu fel cŵn.

Diwedd y stori

A dyma'r dyn hwn, Barnie – wel, welais i erioed oedolyn yn edrych mor drist, a dyna'r gwir i chi. Syllodd a syllodd, fel pe bai'n methu credu beth oedd e'n ei weld. Ro'n i'n crynu gan oerfel wrth ei ochr, ac ro'n i'n credu na fyddai byth yn rhoi'r gorau i syllu o'i flaen. Ro'n i'n meddwl y byddai'n aros yno trwy'r nos.

'Felly dyma lle rwyt ti'n byw, ife, Jim?' gofynnodd i mi.

'Ie,' atebais, a dechreuais deimlo'n drist iawn drosto, am ei fod e'n edrych fel pe bai'n teimlo mai fe oedd ar fai am y cyfan. Chi'n gwybod beth dwi'n ei feddwl?

Ac yna dywedodd, 'Wel, beth am y bwyd yna addewais i i ti?' ac fe deimlais i dipyn yn well wedyn, oherwydd ro'n i'n meddwl ei fod e wedi anghofio am hynny.

Dechreuodd ddringo lawr y wal, ac roedd e'n llithro ychydig gan ei fod e'n gwisgo esgidiau, a dyw e ddim mor hawdd pan nad y'ch chi'n droednoeth. Aeth â fi i dŷ lle cefais i fwyd a bath cynnes. A wnewch chi fyth ddychmygu beth ddwedodd e wrtha i wedyn. 'Dwi'n mynd i roi cartre i ti, Jim,' meddai.

Es i nôl gyda fe i'r to drannoeth, a dweud wrth y bechgyn eraill amdano. Chymerodd hi ddim yn hir cyn i bob un ohonyn nhw benderfynu dod gyda fi. Mae cymaint o fechgyn eisiau cartref nawr fel ei fod yn gofyn i bobl gyfoethog roi arian i agor tŷ arall iddyn nhw. Dyna pam roedd e am wybod fy stori, chi'n gweld?

Mae byw fan hyn yn union fel petai gen i lawer o frodyr. Ry'n ni i gyd yn cysgu mewn ystafell fawr i fyny'r grisiau, mae tân anferth yno, a gwelyau'n hongian o'r nenfwd. Ry'n ni'n cael digon i'w fwyta. Mae e'n siarad tipyn am Dduw wrthon ni ac mae e'n garedig iawn. Mae'n gofyn i ni weithio iddo – pethau fel torri coed ac ry'n ni'n cael ein talu'n deg, ac felly rydyn ni'n talu am ein bwyd.

A does dim byd i'n cadw ni yma. Fedra i ddim credu hynny. Dim bariau ar y ffenestri na chloeon ar y drysau. Neb yn cael eu curo. Gallwn i redeg i ffwrdd fory nesaf pe bydden i eisiau gwneud hynny.

Ond dydw i ddim, chi'n gweld? Jim Jarvis ydw i. A dyma fy nghartref.

Nodyn gan yr awdur

Bachgen go iawn oedd Jim Jarvis, ond dy'n ni ddim yn gwybod rhyw lawer amdano. Ceisiais ddychmygu sut fywyd oedd ganddo cyn iddo gwrdd â Dr Barnardo rywbryd tua 1866. Hyfforddodd Dr Barnardo i fod yn feddyg ond wnaeth e ddim pasio'r arholiadau. Rhoddodd y gorau i'w yrfa ac i'w uchelgais i fynd yn genhadwr i China er mwyn helpu plant tlawd Llundain. Yn gyntaf, agorodd yr Ysgolion Carpiog ar eu cyfer, ac yna dechreuodd godi arian gan bobl gyfoethog er mwyn sefydlu cartrefi ar gyfer plant amddifad. Dywedai'n aml mai cwrdd â Jim Jarvis oedd y digwyddiad a ddangosodd iddo'r math o fywyd yr oedd plant tlawd Llundain yn ei fyw.

Dihangodd Jim o'r wyrcws pan fu farw ei fam, a chafodd gymorth gan fenyw oedd yn gwerthu perdys a chregyn moch (bwyd môr). Bu'n byw ar gwch dadlwytho glo am gyfnod, lle câi ei gam-drin gan y perchennog a'i gi. Wedi iddo ddianc rhag y rhain bu'n byw ar y strydoedd ac yn cysgu ar y toeon, tan iddo fynd i un o Ysgolion Carpiog Dr Barnardo a gofyn am gymorth.

Seilir cymeriad Cochyn ar Jack Somers, oedd hefyd yn cael ei adnabod fel Carrots, a daeth ef i sylw Dr Barnardo ychydig yn ddiweddarach. Bu farw Carrots o newyn, mewn crât, cyn i Dr Barnardo lwyddo i roi cartref iddo. Roedd ei stori drist ef hefyd yn allweddol yn hanes Barnardo's, ac o hynny ymlaen gosodwyd arwydd uwchben drysau'r 'Cottage Homes', fel y'u gelwid, yn dweud 'Ni wrthodir unrhyw fachgen amddifad.' Cyn hir, dechreuodd Barnardo agor cartrefi i ferched hefyd. Daeth cartrefi Dr Barnardo i sylw'r byd, ac mae'r elusen yn bodoli fel Barnardo's hyd heddiw, gan barhau i gynorthwyo pobl ifanc ymhob ffordd.